LES ANIMAUX

1. Que fait un hippopotame lorsqu'on l'approche ?
- ◯ Il bâille
- ◯ Il attaque
- ◯ Il prend la fuite

2. Quelle est l'arme la plus redoutable d'un requin ?
- ◯ Sa queue
- ◯ Ses dents
- ◯ Ses nageoires

3. Que signifie l'expression « un froid de canard » ?
- ◯ Lorsque seuls les canards ont froid
- ◯ Que la surface
- ◯ Qu'il fait très f

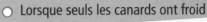
4. Comment les poissons communiquent-ils entre eux ?
- ◯ Par des mouvements
- ◯ Par des bruits
- ◯ Au moyen de leurs couleurs

5. Qu'est-ce qu'une licorne ?
- ◯ Un cheval ailé
- ◯ Un sphinx
- ◯ Un rhinocéros à une seule corne

6. Quel oiseau vole le plus haut dans le ciel ?
- ◯ Le vautour
- ◯ L'aigle
- ◯ Le goéland

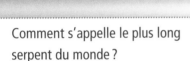

7. Comment s'appelle le plus long serpent du monde ?
- ◯ L'anaconda
- ◯ Le python
- ◯ Le serpent géant

LES ANIMAUX

Combien de pattes ont les fourmis ?

- ○ 4
- ○ 6
- ○ 8

8

Comment vivent les fourmis ?

- ○ Seules
- ○ En famille
- ○ En grands groupes

9

Où trouve-t-on le mammouth ?

- ○ Dans des grottes souterraines
- ○ Nulle part, il s'est éteint
- ○ Dans les montagnes de l'Himalaya

10

Pourquoi un cochon d'Inde passe-t-il son temps à mordiller ?

- ○ Sinon, ses dents continuent à pousser
- ○ Il a toujours faim
- ○ Ses intestins doivent toujours être pleins

11

Quel est le plus grand ennemi de l'ours ?

- ○ Le lion
- ○ L'homme
- ○ Les moustiques

12

Y a-t-il des ours en Europe ?

- ○ Oui
- ○ Non

13

Qu'est-ce qu'une chrysalide ?

- ○ Une chenille qui se transforme en papillon
- ○ Un oiseau qui siffle bien
- ○ Un paon qui fait la roue

14

LES ANIMAUX

Combien de temps vit en moyenne un papillon ?

- ○ Une saison
- ○ Une semaine
- **15** ○ De 3 à 6 semaines

Comment vivent les éléphants ?

- ○ Seuls
- ○ En famille
- **16** ○ En grandes bandes

Qu'est-ce qu'un concours complet d'équitation ?

- ○ Une épreuve de dressage
- ○ Des sauts d'obstacles et une épreuve de dressage
- **17** ○ Une épreuve de dressage, de fond et de sauts d'obstacles

Qu'est-ce qu'un éthologiste ?

- ○ Un ami des chiens
- ○ Une personne spécialisée dans l'écoute des chevaux
- **18** ○ Une personne spécialisée dans le comportement des animaux

Quel singe ressemble le plus à l'homme ?

- ○ Le gorille
- ○ Le chimpanzé
- **19** ○ L'orang-outang

Quel animal est capable de rester 48 heures sous l'eau, de supporter une température de 50 °C et de vivre à des altitudes de plus de 3 000 mètres ?

- ○ Le scorpion
- ○ La vipère
- **20** ○ La salamandre des montagnes

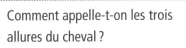

Comment appelle-t-on les trois allures du cheval ?

- ○ Dressage – trot – pas
- ○ Pas – trot – saut
- **21** ○ Pas – trot – galop

Comment appelle-t-on le mâle chez le chien ?

22
- ○ Le chien
- ○ Le cabot
- ○ Le chacal

Que signifie l'expression « chien qui aboie ne mord pas » ?

23
- ○ Si un chien aboie, il ne mord jamais
- ○ Les chiens qui aboient ont en fait très peur
- ○ Il ne faut pas avoir peur de ceux qui parlent très fort ou expriment leur colère

Quel oiseau mange deux fois par jour environ l'équivalent de son propre poids et a des ailes qui peuvent bourdonner comme les insectes ?

24
- ○ Le moineau
- ○ La mésange
- ○ Le colibri

Que veut communiquer un cheval lorsqu'il frappe le sol avec son sabot ?

25
- ○ Il a peur
- ○ Il est impatient
- ○ Il a faim

Comment se fait-il que le bouquetin soit un tel équilibriste dans les montagnes ?

26
- ○ Il garde facilement l'équilibre grâce à ses cornes
- ○ Ses sabots sont dotés de membranes
- ○ Ses sabots sont constitués de deux orteils en forme de pince

Comment se nourrit une moule ?

27
- ○ Elle aspire de l'eau
- ○ Elle entrouvre sa coquille et filtre l'eau
- ○ Il y a suffisamment de nourriture dans sa coquille

Donne un synonyme de crevette bouquet.

28
- ○ Crevette rose
- ○ Crevette grise
- ○ Scampi

LES ANIMAUX

Que se produit-il lorsqu'on retourne une étoile de mer sur le dos ?

29
- ○ Elle meurt
- ○ Elle se dessèche
- ○ Elle se redresse toute seule

Quel animal surnomme-t-on casse-noisettes ?

30
- ○ Le singe
- ○ La souris
- ○ L'écureuil

Quel animal possède d'immenses plumes qui lui servent à se pavaner, à se ventiler, à freiner et à protéger ses petits, mais qui ne sait pas voler ?

31
- ○ L'autruche
- ○ Le cheval ailé
- ○ L'albatros

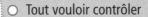

Que signifie l'expression « pratiquer la politique de l'autruche » ?

32
- ○ Tout vouloir contrôler
- ○ Se pavaner sans cesse
- ○ Rester aveugle face aux dangers qui te menacent

Lequel de ces animaux est le plus ancien ?

33
- ○ Le dinosaure
- ○ Le requin
- ○ Le mammouth

Les grenouilles respirent de deux façons : lesquelles ?

34
- ○ Par la bouche et le nez
- ○ Par les yeux et le nez
- ○ Par la peau et le nez

Quel mammifère détient le record de plongée en apnée ?

35
- ○ Le dauphin
- ○ Le phoque
- ○ Le cachalot

Quel mammifère peut avoir plus de 1 000 petits en un an seulement ?

36
- ○ Le lapin
- ○ La souris
- ○ Le hamster

Comment appelle-t-on le bruit que fait la pie ?

37
- ○ Un jacassement
- ○ Un coassement
- ○ Un bourdonnement

Quel animal se nourrit de fourmis et de termites et a une langue gluante qu'il glisse dans les fourmilières et les termitières ?

38
- ○ Le tamanoir
- ○ La tarentule
- ○ Le serpent des vignes

Cet animal a un museau pointu. Il sort le soir pour aller chercher de la nourriture. Il ne boit jamais d'eau, il s'hydrate à partir de ses proies.

39
- ○ Le sanglier du désert
- ○ Le fennec
- ○ La souris du désert

Ce pêcheur-né au cou en forme de S est officiellement protégé et on le trouve le plus souvent dans les zones marécageuses.

40
- ○ Le flamant rose
- ○ Le grand héron bleu
- ○ L'orfraie

À quelle famille d'animaux appartiennent les tortues, les serpents, les lézards et les crocodiles ?

41
- ○ Les amphibiens
- ○ Les reptiles
- ○ Les mammifères

Comment appelle-t-on un jeune chien ?

42
- ○ Un petit
- ○ Un chiot
- ○ Un nounours

LES ANIMAUX

Dans quelles poches le hamster entrepose-t-il sa nourriture ?

43
- ○ Des poches pendantes
- ○ Des bajoues
- ○ Des poches buccales

Lequel de ces animaux est le plus rapide dans l'air ?

44
- ○ Le martinet noir
- ○ Le pigeon voyageur
- ○ La guêpe

Quel animal vit le plus longtemps ?

45
- ○ La tortue
- ○ Le rhinocéros
- ○ L'éléphant

En moyenne, combien d'années vit un chien ?

46
- ○ 5 ans
- ○ 15 ans
- ○ 25 ans

En quoi les crapauds diffèrent des grenouilles ?

47
- ○ Ils ont la peau sèche et rugueuse
- ○ Ils ne mangent que de la viande
- ○ Ce sont des amphibiens

Pourquoi les lapins ont-ils de grandes oreilles ?

48
- ○ Pour bien entendre et donc bien se protéger
- ○ Pour être faciles à attraper
- ○ Pour protéger leurs conduits auditifs des infections

Qu'est-ce qui est le plus rapide : le poisson-voilier ou le sous-marin ?

49
- ○ C'est pareil
- ○ Le poisson-voilier
- ○ Le sous-marin

LES ANIMAUX

Qu'est-ce qui est le plus rapide : une autruche ou un coureur cycliste ?

- ○ C'est pareil
- ○ Une autruche
- **50** ○ Un coureur cycliste

Pourquoi les souris sont-elles utiles à l'espèce humaine ?

- ○ Pour éliminer les insectes
- ○ Pour tenir certaines maladies à l'écart
- **51** ○ Parce que les organes de la souris ressemblent fortement à ceux de l'homme

Pourquoi les mouches peuvent-elles marcher au plafond ?

- ○ Elles ont des coussinets adhésifs sous les pattes
- ○ Elles sont si légères
- **52** ○ Leurs ailes sont recouvertes d'une substance collante

Pourquoi les chauves-souris se suspendent-elles la tête en bas ?

- ○ Pour se reposer
- ○ Pour se protéger
- **53** ○ Pour attraper les insectes qui virevoltent

Qu'est-ce qu'un mulet ?

- ○ Le croisement d'un âne et d'une jument
- ○ Le croisement d'un étalon et d'une ânesse
- **54** ○ Le croisement d'un âne et d'un zèbre

Pourquoi les éléphants ont-ils de si grandes oreilles ?

- ○ Pour bien entendre
- ○ Pour chasser les mouches
- **55** ○ Pour réguler leur température

Quel est le plus grand animal qui ait jamais vécu ?

- ○ Le dinosaure
- ○ Le mammouth
- **56** ○ La baleine bleue

LES ANIMAUX

Qui est le plus rapide : le lièvre ou le cheval de course ?

- ○ C'est pareil
- ○ Le lièvre
- **57** ○ Le cheval de course

Qui est le plus lent : la tortue géante ou le ver de terre ?

- ○ Le ver de terre
- ○ C'est pareil
- **58** ○ La tortue géante

Pourquoi les hiboux ont-ils de grands yeux ?

- ○ Pour bien voir leurs proies pendant la nuit
- ○ Pour avoir l'air savant
- **59** ○ Pour ne pas avoir de troubles de l'équilibre lorsqu'ils atterrissent

À quoi sert la queue d'un oiseau ?

- ○ À faire joli
- ○ À se réchauffer
- **60** ○ À déterminer sa direction de vol et à freiner

Qui voit le mieux ?

- ○ L'homme
- ○ L'aigle
- **61** ○ Le merle

Qui a l'odorat le plus développé ?

- ○ L'homme
- ○ Les oiseaux
- **62** ○ Les chiens

Que sont les chiens de prairie ?

- ○ Des chiens qui vivent dans les prairies
- ○ Des rongeurs qui construisent des villes souterraines
- **63** ○ Des souris naines qui construisent leurs nids sur les tiges de blé

LES ANIMAUX

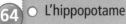

Quel est l'animal dont la grossesse
dure le plus longtemps ?

- La girafe
- L'éléphant
- **64** L'hippopotame

Quel animal est le plus difficile dans
le choix de sa nourriture ?

- Le chameau
- Le koala
- **65** Le raton laveur

Quel animal crie le plus fort ?

- Le lion
- Le singe hurleur
- **66** La baleine bleue

Quel oiseau a les ailes les plus longues ?

- L'albatros géant
- L'orfraie
- **67** L'autruche

Quel est l'organe le plus important chez
le serpent ?

- La langue
- Les yeux
- **68** La peau

Quand trouve-t-on un escargot sans sa
petite maison sur le dos ?

- Lorsqu'il fait très chaud
- Quand il est mort
- **69** Quand il va se promener

À quoi servent les défenses d'un
éléphant ?

- Comme bijoux
- Comme armes pour se défendre
- **70** Comme réservoir pour l'eau

LES ANIMAUX

Les lapins et les lièvres mangent-ils leurs propres excréments ?

71
- Oui, ils mangent leurs propres excréments
- Non, bien sûr que non
- Oui, mais uniquement quand les crottes sont molles

Pourquoi voit-on rarement des taupes ?

72
- Elles vivent principalement la nuit
- Elles sont presque aveugles et vivent sous la terre
- Elles sont petites et leur couleur est adaptée à la nature pour passer inaperçues

Pourquoi voit-on souvent des papillons au soleil ?

73
- Comme ça, ils montrent leurs jolies couleurs
- Ils accumulent de la chaleur afin de pouvoir voler
- Ils séduisent leur partenaire

Comment une pieuvre se défend-elle ?

74
- En crachant de l'encre
- En frappant avec ses tentacules
- En changeant de couleur

Quel animal a l'ouïe la plus développée ?

75
- La chauve-souris
- Le chien
- Le renard

Pourquoi la coccinelle est-elle d'un rouge aussi éclatant ?

76
- Parce qu'elle s'expose beaucoup au soleil
- Pour ne pas qu'on l'écrase
- Pour signaler à ses ennemis qu'elle est dangereuse

Dans la famille des paons, qui est le fier propriétaire d'une magnifique queue ?

77
- Le mâle
- La femelle
- Le petit

CULTURE

Quel personnage symbolise le mal dans *La Guerre des étoiles* (*Star Wars*) et s'avère également être le père de Luke Skywalker ?

78
- ○ Darth Vader
- ○ Chewbacca
- ○ Obi-Wan Kenobi

En quelle année le premier film sonore est-il sorti ?

79
- ○ En 1960
- ○ En 1927
- ○ En 1945

Quand les premiers magnétoscopes sont-ils apparus sur le marché ?

80
- ○ Dans les années 1970
- ○ Dans les années 1980
- ○ Dans les années 1990

Comment s'appelle le successeur du pape Jean-Paul II ?

81
- ○ Le pape Jean XXIII
- ○ Le pape Pie XII
- ○ Le pape Benoît XVI

Quel type d'instrument de musique est un tuba ?

82
- ○ Un cuivre
- ○ Un instrument à vent en bois
- ○ Un instrument à cordes

Quelle ville est le berceau du jazz ?

83
- ○ Philadelphie
- ○ New York
- ○ La Nouvelle-Orléans

De quel pays John Travolta est-il originaire ?

84
- ○ De la Grande-Bretagne
- ○ Des États-Unis
- ○ De l'Australie

Comment appelle-t-on l'instrument au moyen duquel un présentateur peut lire son texte tout en regardant la caméra ?

85

○ Un prompteur
○ Une table de mixage
○ Un diaphragme

Quand la première photographie a-t-elle été tirée ?

86

○ Vers 1800
○ Vers 1820
○ Vers 1900

Dans quel pays Picasso est-il né ?

87

○ En France
○ En Italie
○ En Espagne

En quelle année Walt Disney est-il décédé ?

88

○ En 1966
○ En 1976
○ En 1986

De quel pays Oliver Hardy, l'un des deux comparses du célèbre duo comique Laurel et Hardy, était-il originaire ?

89

○ Du Canada
○ De Grande-Bretagne
○ Des États-Unis

Qu'entend-on par un « stoupa » ?

90

○ Une construction bouddhiste
○ Un lieu de prière juif
○ Un temple musulman

D'où proviennent les trolls ?

91

○ Des pays du Nord
○ Du Sud
○ De l'océan

CULTURE

Où boit-on principalement de la vodka ?

- ○ En Russie
- ○ Au Japon
- **92** ○ En Croatie

Quel animal est systématiquement présent lorsqu'on fête le Nouvel An chinois ?

- ○ Le coq
- ○ Le lion
- **93** ○ Le dragon

Quel peuple écrivit les premières pièces de théâtre ?

- ○ Les Égyptiens
- ○ Les Chinois
- **94** ○ Les Grecs

Sur une partition, qu'est-ce qui détermine la longueur d'une note pour un musicien ?

- ○ La clé de sol
- ○ La forme de la note
- **95** ○ Le tempo

Qui a composé l'opéra *La Flûte enchantée* ?

- ○ Mozart
- ○ Verdi
- **96** ○ Puccini

Combien de membres comptaient les Beatles ?

- ○ Quatre
- ○ Cinq
- **97** ○ Six

Comment appelle-t-on le texte chanté d'un opéra ?

- ○ Monologue
- ○ Dialogue
- **98** ○ Livret

CULTURE

Lequel de ces trois instruments n'est pas électronique ?

- ○ La guitare électrique
- ○ Le synthétiseur
- **99** ○ Le xylophone

Où a eu lieu la toute première émission de radio publique ?

- ○ Aux États-Unis
- ○ En Grande-Bretagne
- **100** ○ En Allemagne

Comment appelle-t-on un récit sous forme de livre ?

- ○ Une poésie
- ○ Un roman
- **101** ○ Une comédie musicale

Comment les livres étaient-ils copiés avant l'invention de l'imprimerie ?

- ○ Ils étaient réécrits à la main
- ○ Avec un photocopieur
- **102** ○ On ne les copiait pas

Comment appelle-t-on un livre dans lequel on peut chercher toutes sortes de renseignements précis ?

- ○ Une encyclopédie
- ○ Un roman
- **103** ○ Un dictionnaire

De quoi est fait le papier actuel ?

- ○ De papyrus
- ○ De bois
- **104** ○ D'argile

Qui écrit les articles dans un journal ?

- ○ Un rédacteur
- ○ Un photographe
- **105** ○ Un journaliste

CULTURE

Quand sont apparus les premiers journaux imprimés ?

○ Au 17e siècle
○ Au 18e siècle
106 ○ Au 19e siècle

Lequel de ces films a reçu le plus d'oscars ?

○ *E.T.*
○ *Titanic*
107 ○ *La Liste de Schindler (Schindler's List)*

Qui imagine les pas de danse dans un ballet ?

○ Le chorégraphe
○ Le chef d'orchestre
108 ○ Le soliste

En musique, de combien de lignes se compose une portée ?

○ Cinq
○ Six
109 ○ Sept

Lequel de ces trois artistes n'est pas un compositeur ?

○ Verdi
○ Beethoven
110 ○ Dickens

Sur quel fleuve européen Johann Strauss a-t-il composé une valse ?

○ Le Rhin
○ Le Danube
111 ○ La Volga

Dans quel sens lit-on la langue arabe ?

○ Du haut vers le bas
○ De gauche à droite
112 ○ De droite à gauche

Qu'est-ce qu'un avocat ?

- ○ Un fruit
- ○ Un légume
- **113** ○ Un morceau de viande

Quelle est la religion la plus répandue aux États-Unis ?

- ○ L'islam
- ○ Le bouddhisme
- **114** ○ Le christianisme

Donne un synonyme de bain de vapeur.

- ○ Faune
- ○ Flore
- **115** ○ Sauna

De quel pays provient la danse appelée flamenco ?

- ○ De l'Espagne
- ○ De l'Italie
- **116** ○ De la Grèce

Comment appelle-t-on une série de trois films consacrés à un même thème ?

- ○ Duo
- ○ Quartet
- **117** ○ Trilogie

Qui a prononcé la phrase célèbre « To be or not to be » ?

- ○ Le roi Lear
- ○ Hamlet
- **118** ○ Jules César

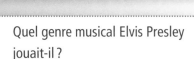

Quel genre musical Elvis Presley jouait-il ?

- ○ La techno
- ○ Le disco
- **119** ○ Le rock and roll

CULTURE

Qui a peint *La Joconde* ?

- Michel-Ange
- Léonard de Vinci
- **120** Picasso

De quel continent le dindon est-il originaire ?

- De l'Amérique
- De l'Asie
- **121** De l'Europe

De quel pays Bob et Bobette vien-nent-ils ?

- De la Belgique
- Des Pays-Bas
- **122** De la France

Comment s'appelle le plus grand ami d'Astérix ?

- César
- Ambiorix
- **123** Obélix

Quelle religion est la plus pratiquée en Inde ?

- L'hindouisme
- Le christianisme
- **124** Le bouddhisme

Quelle est l'unité monétaire de la Grande-Bretagne ?

- Le dollar
- L'euro
- **125** La livre sterling

Qu'est-ce que la physique ?

- La science de la terre
- La science de la matière
- **126** La science des mesures

CULTURE

Quand émet-on un signal de SOS ?

- Quand on est en danger
- Comme avertissement
- **127** Quand on veut téléphoner à quelqu'un

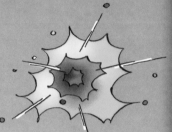

De quel pays Tintin est-il originaire ?

- Du Japon
- De la Belgique
- **128** De l'Allemagne

Où Achille était-il le plus vulnérable ?

- Au talon
- À la tête
- **129** À la poitrine

Où trouve-t-on principalement des vitraux ?

- Dans les églises
- Dans les châteaux
- **130** Dans les fermes

Quelle religion compte le plus d'adeptes ?

- Le bouddhisme
- Le christianisme
- **131** L'islam

Dans quelle ville se trouve le musée du Louvre ?

- Londres
- Berlin
- **132** Paris

Dans quel bâtiment présente-t-on des pièces dramatiques ?

- Un théâtre
- Un palais
- **133** Une bibliothèque

CULTURE

Comment appelle-t-on un bâtiment dans lequel on peut emprunter des livres ?

- ○ Un cinéma
- ○ Un théâtre
- **134** ○ Une bibliothèque

Où un scientifique effectue-t-il des essais ?

- ○ Dans un atelier
- ○ Dans un laboratoire
- **135** ○ Dans une cuisine

Quelle sorte de télévision fut créée en 1953 aux États-Unis ?

- ○ Numérique
- ○ Couleur
- **136** ○ Noir et blanc

Qui était le réalisateur des films *Psychose, Les Oiseaux, La Mort aux trousses* ?

- ○ Alfred Hitchcock
- ○ Steven Spielberg
- **137** ○ Woody Allen

Ian Fleming écrivit en 1959 le livre *Goldfinger*. De quels films cette œuvre fut-elle le point de départ ?

- ○ Les Rocky
- ○ Les James Bond
- **138** ○ La série de *La Guerre des étoiles* (Star Wars)

Quelle sorte d'instrument est une guitare ?

- ○ Un instrument à cordes
- ○ Un instrument à cordes pincées
- **139** ○ Un instrument à percussions

En compagnie de quel animal le père Noël voyage-t-il ?

- ○ Un cheval
- ○ Un renne
- **140** ○ Un âne

CULTURE

Dans quel pays le film *Le Seigneur des anneaux* a-t-il été tourné ?

141
- En Nouvelle-Zélande
- Aux États-Unis
- En Inde

En quelle année l'euro est-il entré en vigueur ?

142
- 2000
- 2002
- 2004

Qui habite la Maison-Blanche ?

143
- Un roi
- Un artiste
- Un président

Dans lequel de ces trois pays ne roule-t-on pas à gauche ?

144
- L'Australie
- Les États-Unis
- La Grande-Bretagne

De quel pays provient le vrai champagne ?

145
- De la France
- Du Chili
- De l'Australie

Qui est le père de Mickey Mouse, Donald Duck et Dingo ?

146
- Walt Disney
- Matt Groening
- William Hanna

En quelle année le premier film a-t-il été réalisé ?

147
- 1895
- 1914
- 1950

CULTURE

Quel artiste comique jouait le rôle d'un vagabond qui, malgré tous ses malheurs, parvenait à conserver son sens de l'humour ?

148
- ○ Charlie Chaplin
- ○ Stan Laurel
- ○ Oliver Hardy

Quelle était la profession de William Shakespeare ?

149
- ○ Dramaturge
- ○ Peintre
- ○ Compositeur

Qu'est-ce qu'un stradivarius ?

150
- ○ Un instrument à vent
- ○ Un instrument à percussions
- ○ Un violon

En dépit de quelle infirmité Ludwig van Beethoven parvint-il à composer ?

151
- ○ La cécité
- ○ La surdité
- ○ La folie

Combien de cordes un violoncelle possède-t-il ?

152
- ○ Trois
- ○ Quatre
- ○ Six

Qui a écrit le conte *Blanche-Neige* ?

153
- ○ Les frères Grimm
- ○ Hans Christian Andersen
- ○ Walt Disney

De quel pays le tango (danse) est-il originaire ?

154
- ○ De l'Argentine
- ○ Des États-Unis
- ○ De l'Espagne

FILM ET MUSIQUE

Comment s'appelle le shérif dans la chanson de Bob Marley *I Shot the Sheriff*?

155

- ○ Freeman
- ○ Johnson
- ○ John Brown

Qui a écrit l'opéra *Fidelio*? Ce fut son premier opéra, mais également son dernier.

156

- ○ Chopin
- ○ Beethoven
- ○ Strauss

Dans *Zombie*, les Cranberries chantent « It's the same old theme since…». Depuis quelle année ?

157

- ○ 1916
- ○ 1914
- ○ 1945

Selon les paroles de la chanson de Bob Marley *No Woman No Cry*, dans quel jardin observe-t-on les hypocrites ?

158

- ○ De tuin van eden
- ○ De achtertuin
- ○ The government yard

À qui la méchante belle-mère avait-elle donné ordre de tuer Blanche-Neige ?

159

- ○ Aux sept nains
- ○ Au chasseur
- ○ À un petit lapin

Quel groupe de rock, déjà connu depuis les années 1960, a pris une langue pendante pour logo ?

160

- ○ Les Rolling Stones
- ○ Les Beatles
- ○ Santana

Qui s'est disputée avec son père Sylvio lorsqu'elle lui a fait savoir que son frère était homosexuel ?

161

- ○ Beyoncé
- ○ Dido
- ○ Madonna

FILM ET MUSIQUE

Qui, des trois groupes suivants, s'est produit à Woodstock seulement en 1994 ?

162
- ○ Red Hot Chili Peppers
- ○ Santana
- ○ Crosby, Stills & Nash

Comment s'appelle le célèbre réalisateur qui a fait les films *Pulp Fiction*, *Reservoir Dogs* et *Kill Bill* ?

163
- ○ Steven Soderbergh
- ○ Quentin Tarantino
- ○ Sofia Coppola

Comment arrive-t-on à Neverland, le pays imaginaire où habite Peter Pan ?

164
- ○ En avion
- ○ En hovercraft (aéroglisseur)
- ○ Il suffit d'y croire et de voler

L'écrivain français Victor Hugo a écrit l'histoire d'un bossu qui est enfermé dans une grande église de Paris. De quelle histoire s'agit-il ?

165
- ○ Notre-Dame de Paris
- ○ Peter Pan
- ○ Pocahontas

Quel membre du groupe U2 a été champion d'Irlande au jeu d'échecs dans son adolescence ?

166
- ○ Adam Clayton
- ○ Larry Mullen
- ○ Bono

Près de quelle petite ville anglaise le récit de *Robin des Bois* se déroule-t-il ?

167
- ○ Manchester
- ○ Nottingham
- ○ Greenwich

Comment s'appelle l'éléphant qui fait partie des amis de Tarzan ?

168
- ○ Olifantus
- ○ Rocco
- ○ Tantor

FILM ET MUSIQUE

Dans quel groupe Debby Harry chante-t-elle ?

169
- ○ Blondie
- ○ Blackie
- ○ Brownie

À quelle adresse se trouve Nemo après avoir été enlevé par des humains dans le film *Le Monde de Nemo (Finding Nemo)* ?

170
- ○ 80 Red Street, Australie
- ○ Wallaby Way, à Sydney, Australie
- ○ 15 Melbourne Street, Australie

Quel est le métier de Superman lorsqu'il n'est pas Superman ?

171
- ○ Professeur
- ○ Agent de police
- ○ Journaliste

Lequel de ces objets est percé d'un grand trou en son centre ?

172
- ○ Un CD
- ○ Une cassette
- ○ Un disque 33 tours

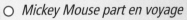

Comment s'appelle la petite souris dans le film de Walt Disney dont l'autre héros s'appelle Bernard ?

173
- ○ Flora
- ○ Katrina
- ○ Bianca

Comment s'intitulait le tout premier petit film mettant en scène Mickey Mouse ?

174
- ○ *Mickey Mouse part en voyage*
- ○ *Willy, le bateau à vapeur*
- ○ *Mickey & Minnie*

À la fin du film *Dumbo*, pour quelle somme d'argent les oreilles de Dumbo sont-elles assurées ?

175
- ○ 1 milliard
- ○ 20 euros
- ○ 1 million d'euros

FILM ET MUSIQUE

Quelle chanteuse a vendu le plus de CD au monde en 1994 ?

176
- ○ Céline Dion
- ○ Whitney Houston
- ○ Mariah Carey

Quel personnage aux oreilles pointues est le meilleur ami du Capitaine Kirk dans *Star Trek* ?

177
- ○ Spock
- ○ Spike
- ○ Kirk Jr.

Quelle Mary chantait tout le temps « Supercalifragilisticexpialidocious » dans un film célèbre ?

178
- ○ Mary the White
- ○ Mary Von Amburg
- ○ Mary Poppins

Sur quelle histoire de Charles Dickens le scénario du film de Walt Disney *Oliver et Compagnie* est-il basé ?

179
- ○ *Oliver Twist*
- ○ *Barnaby Rudge*
- ○ *Les Aventures de M. Pickwick (The Posthumous Papers of the Pickwick Club)*

Dans quel style musical les joueurs portent-ils des chapeaux de cowboy ?

180
- ○ Country
- ○ Rock
- ○ Pop

Quel chanteur américain se fait-il parfois appeler Victor ou désigner par le symbole de l'amour ?

181
- ○ Eminem
- ○ Nick Cave
- ○ Prince

Combien de musiciens y a-t-il dans un quatuor ?

182
- ○ 587
- ○ 4
- ○ 1 000

FILM ET MUSIQUE

Pourquoi Elvis Presley n'a-t-il jamais joué de rap ?

○ Le rap n'existait pas encore
○ Il n'aimait pas cette musique
183 ○ Il trouvait cette musique endormante

Quel genre de musique jouent The Kids, The Sex Pistols et The Ramones ?

○ Country
○ New Wave
184 ○ Punk

Quel chanteur aveugle a fait de la publicité pour Pepsi Cola ?

○ Stevie Wonder
○ Ray Charles
185 ○ Jules de Corte

Quel instrument à touches entend-on quand on joue de la musique boogie-woogie ?

○ L'orgue
○ L'accordéon
186 ○ Le piano

À partir de quel matériau ne fabrique-t-on jamais de saxophones ?

○ Le plastique
○ Le bois
187 ○ Le cuivre

À qui Stevie Wonder a-t-il dédié une chanson ?

○ À l'amiral Nelson
○ À Willie Nelson
188 ○ À Nelson Mandela

Qui a organisé à deux reprises les gigantesques concerts du Live Aid ?

○ Bob Geldof
○ Bono
189 ○ Kofi Annan

Comment s'appelle Anakin Skywalker lorsqu'il est sous l'influence du maléfique empereur ?

190
- ⭘ Black Papa
- ⭘ Dark Dady
- ⭘ Darth Vader

Pourquoi le chanteur américain Stevie Wonder est-il incapable de lire une partition ?

191
- ⭘ Il parle arabe
- ⭘ Il est aveugle
- ⭘ Aux États-Unis, peu de chanteurs savent lire les partitions

Laquelle de ces anciennes gloires du rock a été abattue ?

192
- ⭘ John Lennon
- ⭘ Elvis Presley
- ⭘ Jimi Hendrix

Qu'utilisait-on à Trinidad pour faire de la musique lorsque les tam-tams africains ont été interdits ?

193
- ⭘ Des troncs d'arbres creux
- ⭘ Des bidons d'essence
- ⭘ On utilisait ses propres cuisses pour faire du bruit

Lequel des groupes suivants fait de la musique grunge ?

194
- ⭘ Nirvana
- ⭘ Coldplay
- ⭘ Pink Floyd

Lequel de ces musiciens n'est pas un compositeur ?

195
- ⭘ Mozart
- ⭘ Vivaldi
- ⭘ Michael Jackson

En quoi un hautbois est-il fait ?

196
- ⭘ En bois
- ⭘ En fer
- ⭘ En tissu

FILM ET MUSIQUE

Dans quelle ville de France Jim Morisson est-il enterré ?

197
- ○ Paris
- ○ Toulouse
- ○ Bordeaux

Comment s'appelle le genre musical dans lequel on parle très vite sur le rythme de la musique ?

198
- ○ Le rock
- ○ Le R&B
- ○ Le rap

Comment s'appelle le chat roux dans le film *Les Aristochats* ?

199
- ○ Marie
- ○ Berlioz
- ○ Toulouse

Comment s'appelle l'ours qui a pour amis Tigrou, Porcinet et Coco Lapin ?

200
- ○ Winnie l'Ourson
- ○ Petit Jean
- ○ Robin des Bois

Quelle chanteuse a été surnommée la « reine de la musique pop » ?

201
- ○ Britney Spears
- ○ Shakira
- ○ Madonna

Dans quel groupe jouait le célèbre guitariste Eric Clapton ?

202
- ○ Queen
- ○ The Backstreet Boys
- ○ The Yardbirds

Comment s'appelle le film dans lequel Britney Spears a joué ?

203
- ○ *Kilomètres*
- ○ *À la croisée des chemins*
- ○ *Presque célèbre*

FILM ET MUSIQUE

Comment s'appelle l'homme avec qui
Cher a autrefois constitué un groupe ?

204
- ○ Justin Timberlake
- ○ Eminem
- ○ Sonny

Comment s'appelle le film dans lequel
une jolie jeune fille tombe amoureuse
d'une bête qui vit dans un château ?

205
- ○ *Cendrillon*
- ○ *Aladin*
- ○ *La Belle et la Bête*

Comment s'appelle un spectacle dans
lequel les chanteurs et les chanteuses
chantent très haut et fort ?

206
- ○ Une pièce de théâtre
- ○ Un opéra
- ○ Un concert

Comment s'appelle la version en
petite taille de la flûte traversière ?

207
- ○ La flûte soprano
- ○ La petite flûte
- ○ Le piccolo

Comment appelle-t-on la personne
qui se trouve face à l'orchestre et qui
bat la mesure avec une baguette ?

208
- ○ Le chef d'orchestre
- ○ Le batteur de mesure
- ○ L'homme-orchestre

Comment appelle-t-on une chanson
dans laquelle les chanteurs chantent
sans arrêt en se donnant la réplique ?

209
- ○ Un aria
- ○ Le boogie-woogie
- ○ Un canon

Quel groupe des années 1960 a
interprété le générique d'un dessin
animé d'un sous-marin jaune ?

210
- ○ Les Beatles
- ○ Les Rolling Stones
- ○ Les Spice Girls

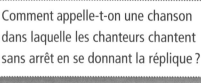

FILM ET MUSIQUE

Comment s'appelle la jeune fille qui se blessa à un rouet et dormit pendant 100 ans ?

211
- ○ Le Petit Chaperon rouge
- ○ La Belle au bois dormant
- ○ Barbara

Sur une partition musicale, il y a souvent quelques mots d'écrits. En quelle langue figurent-ils ?

212
- ○ En anglais
- ○ En chinois
- ○ En italien

Comment appelle-t-on l'homme ou la femme qui, au cinéma, dirige l'ensemble de l'équipe d'un film ?

213
- ○ Le réalisateur
- ○ Le cameraman
- ○ L'acteur

Comment s'appelle la perspective de vue de la caméra quand elle se trouve en haut ?

214
- ○ Plongée
- ○ Contre-plongée
- ○ Zoom

Comment appelle-t-on les films qui traitent de voyages dans l'espace ou de la vie sur d'autres planètes ?

215
- ○ Des films de science-fiction
- ○ Des fantaisies
- ○ Des drames

Quelle chanteuse chante les chansons « Like a prayer », « Frozen » et « Holiday » ?

216
- ○ Britney Spears
- ○ Christina Aguilera
- ○ Madonna

Comment appelle-t-on une flûte faite de tuyaux en bois placés les uns à côté des autres ?

217
- ○ Une flûte à bec
- ○ Une flûte de Pan
- ○ Une flûte à tubes

FILM ET MUSIQUE

Comment s'appelle la série de films de science-fiction dont le premier épisode est sorti en 1977 ?

218
- ○ *La Guerre des étoiles (Star Wars)*
- ○ *Perdu dans l'espace*
- ○ *Science-Fiction*

Comment s'appelle l'étoile de mer qui est la meilleure amie de Bob l'Éponge ?

219
- ○ Octo
- ○ Patrick
- ○ Bart

De quel côté joue-t-on de la flûte traversière ?

220
- ○ Du côté gauche
- ○ Du côté droit
- ○ Par le dessous

Comment appelle-t-on le grand piano muni de longs tubes qu'on trouve dans une église ?

221
- ○ Un piano à tubes
- ○ Un piano d'église
- ○ Un orgue

Une œuvre musicale porte aussi un nom latin. Quel est-il ?

222
- ○ Opus
- ○ Aria
- ○ Oratorio

Comment appelle-t-on une note qui a une queue (« hampe ») et un petit drapeau ?

223
- ○ Une croche
- ○ Une double croche
- ○ Une demi-croche

Qu'est-ce que E.T. dans le film du même nom ?

224
- ○ Une auto
- ○ Un oiseau
- ○ Un être extraterrestre

FILM ET MUSIQUE

Comment s'appelle la musique que les Noirs américains chantent souvent dans les églises ?
225
- ○ Le gospel
- ○ Le swing
- ○ Le jazz

Comment s'appelle l'instrument typique des Écossais ?
226
- ○ L'ukelélé
- ○ La cornemuse
- ○ La lyre

Lequel de ces trois compositeurs était sourd ?
227
- ○ Jean-Sébastien Bach
- ○ Wolfgang Amadeus Mozart
- ○ Ludwig van Beethoven

Comment s'appellent les superhéros qui vivent dans le monde ordinaire et qui ne peuvent pas le laisser paraître aux autres ?
228
- ○ Les Indestructibles
- ○ Les Superhéros
- ○ Les Autres

Comment surnomme-t-on la ville où la grande majorité des films sont produits en Inde ?
229
- ○ Bollywood
- ○ Hollywood
- ○ Mumbai

Comment s'appelle la petite amie de Tarzan ?
230
- ○ Marie
- ○ Line
- ○ Jane

Comment s'appelle la petite fée de Peter Pan ?
231
- ○ Annette
- ○ Clochette
- ○ Juliette

GÉOGRAPHIE

Quel pays a la feuille d'un arbre sur son drapeau ?

○ Le Canada
○ Les États-Unis
232 ○ La Chine

Quelle est langue officielle du Mexique ?

○ L'américain
○ Le mexicain
233 ○ L'espagnol

Comment appelle-t-on la population indigène de la Nouvelle-Zélande ?

○ Les Aborigènes
○ Les Néo-Zélandais
234 ○ Les Maoris

Dans quelle partie du monde le sida est-il le plus répandu ?

○ L'Afrique
○ L'Amérique
235 ○ L'Asie

Comment s'appelle le lac le plus haut du monde ?

○ Victoria
○ Tanganika
236 ○ Titicaca

Pourquoi le triangle des Bermudes est-il si réputé ?

○ C'est un pays triangulaire
○ Il s'y produit beaucoup de tempêtes
237 ○ Beaucoup de bateaux et d'avions y disparaissent

Sur quel continent se situe l'Égypte ?

○ L'Afrique
○ L'Asie
238 ○ L'Europe

GÉOGRAPHIE

Quelle est la ville des États-Unis qui compte le plus d'habitants ?

239
- ○ New York
- ○ Chicago
- ○ Los Angeles

Qu'est-ce qui relie le Danemark à la Suède ?

240
- ○ Un tunnel
- ○ Un pont
- ○ Une voie ferrée

À quel pays appartient l'Écosse ?

241
- ○ Le Royaume-Uni
- ○ L'Angleterre
- ○ L'Irlande

L'Indonésie est le plus grand archipel du monde. De combien d'îles se compose-t-il ?

242
- ○ Environ 5 000
- ○ Environ 17 000
- ○ Environ 100 000

Quel est le plus grand port d'Europe ?

243
- ○ Anvers
- ○ Hambourg
- ○ Rotterdam

Quelle ville européenne appelle-t-on la « Ville lumière » ?

244
- ○ Paris
- ○ Londres
- ○ Madrid

Quel est le plus important peuple indigène des États-Unis ?

245
- ○ Les Apaches
- ○ Les Navajos
- ○ Les Cherokees

GÉOGRAPHIE

Lequel, parmi ces fleuves, coule du sud au nord ?

246

○ L'Amazone
○ Le Nil
○ Le Mississippi

Lequel des trois endroits suivants n'est pas un désert ?

247

○ Les Andes
○ Le Sahara
○ Le Kalahari

Quelle forme décrit le trajet de la Terre autour du Soleil ?

248

○ Un cercle
○ Une ellipse
○ Une sphère

Quand la Terre est-elle née ?

249

○ Il y a environ 4,5 milliards d'années
○ Il y a environ 1,5 milliard d'années
○ Il y a environ 10 milliards d'années

Combien la Terre compte-t-elle de pôles ?

250

○ Un
○ Deux
○ Trois

Quelle est la planète la plus froide (en moyenne) de notre système solaire ?

251

○ Pluton
○ Vénus
○ Mars

Qu'est-ce que la Grande Ourse ?

252

○ Une comète
○ Une étoile
○ Une constellation

GÉOGRAPHIE

Quelle est la capitale de la Chine ?

253
- ○ Beijing
- ○ Hong Kong
- ○ Tokyo

Dans quelle ville se trouve Hollywood ?

254
- ○ New York
- ○ Los Angeles
- ○ Londres

Quelle est la planète la plus chaude (en moyenne) de notre système solaire ?

255
- ○ Vénus
- ○ La Terre
- ○ Mars

Où un ouragan prend-il naissance ?

256
- ○ Au-dessus de la campagne
- ○ Au-dessus d'une ville
- ○ Au-dessus de la mer

Comment exprime-t-on la force du vent ?

257
- ○ En Beaufort
- ○ En Richter
- ○ En Fahrenheit

Dans quelle partie du monde les chutes du Niagara se trouvent-elles ?

258
- ○ En Amérique du Nord
- ○ En Afrique
- ○ En Océanie

Qu'est-ce que l'eau potable ?

259
- ○ De l'eau salée
- ○ De l'eau saumâtre
- ○ De l'eau douce

GÉOGRAPHIE

Dans quel océan le fleuve Amazone se jette-t-il ?

260
- ○ L'océan Atlantique
- ○ L'océan Pacifique
- ○ L'océan Indien

Quel est le pays qui possède un drapeau avec les couleurs rouge et blanc mais pas de bleu ?

261
- ○ La France
- ○ Les Pays-Bas
- ○ L'Italie

Quel est l'État le plus méridional des États-Unis ?

262
- ○ Le Texas
- ○ La Californie
- ○ La Floride

Quelle est la capitale de l'État américain de Californie ?

263
- ○ Sacramento
- ○ San Francisco
- ○ Los Angeles

À quel pays appartient Gibraltar ?

264
- ○ À l'Espagne
- ○ Au Portugal
- ○ Au Royaume-Uni

Quel continent connaît les pluies de mousson ?

265
- ○ L'Asie
- ○ L'Afrique
- ○ L'Océanie

Dans quel pays l'énorme massif de grès, appelé Ayers Rock, se trouve-t-il ?

266
- ○ La Nouvelle-Zélande
- ○ Le Canada
- ○ L'Australie

GÉOGRAPHIE

Quelle est la plus grande ville d'Australie ?

267
- Sydney
- Melbourne
- Adélaïde

Combien d'étoiles le drapeau de l'Union européenne compte-t-il ?

268
- 10
- 12
- 15

Où se trouve le tout premier Legoland ?

269
- En Allemagne
- En Finlande
- Au Danemark

Dans quel pays se trouve la Provence ?

270
- En France
- En Espagne
- En Suisse

Par quoi est constituée la frontière naturelle entre la France et l'Espagne ?

271
- Une rivière
- Un massif montagneux
- Un lac

Où se trouve le plus haut bâtiment du monde ?

272
- Aux États-Unis
- À Taïwan
- En France

Quelle est la plus grande planète de notre système solaire ?

273
- Jupiter
- Saturne
- La Terre

GÉOGRAPHIE

Dans quel pays se trouve le Grand Canyon ?

- ○ Aux États-Unis
- ○ En Australie
- ○ Au Canada

274

Quel est le plus petit pays du monde ?

- ○ Monaco
- ○ Le Liechtenstein
- ○ Le Vatican

275

Qu'est-ce qu'un atoll ?

- ○ Une île de forme circulaire
- ○ La plus petite partie d'une matière
- ○ Un territoire désertique

276

Quelle est la capitale de la Slovaquie ?

- ○ Bratislava
- ○ Prague
- ○ Varsovie

277

De quelle chaîne de montagnes fait partie le mont Blanc ?

- ○ Des Pyrénées
- ○ Des Apennins
- ○ Des Alpes

278

Où se trouve l'étoile Polaire ?

- ○ Au sud
- ○ À l'est
- ○ Au nord

279

Combien d'États comptent les États-Unis d'Amérique ?

- ○ 51
- ○ 52
- ○ 50

280

GÉOGRAPHIE

Quelle est la langue la plus parlée dans le monde ?

281
- ○ L'anglais
- ○ Le français
- ○ Le chinois

Quel pays n'a pas de frontière avec la France ?

282
- ○ La Suisse
- ○ Les Pays-Bas
- ○ L'Italie

Dans quel pays se trouve la ville de La Mecque ?

283
- ○ En Irak
- ○ En Arabie Saoudite
- ○ En Iran

Qu'est-ce que le magma ?

284
- ○ De la roche en fusion
- ○ De la roche dure
- ○ Un gaz

Pourquoi l'Antarctique est-il un continent ?

285
- ○ Des gens y habitent
- ○ Il s'agit de terres gelées
- ○ Il n'appartient à aucun autre pays

Sur quel continent le Sahara se trouve-t-il ?

286
- ○ L'Asie
- ○ L'Amérique
- ○ L'Afrique

Quel est le deuxième sommet le plus élevé du monde ?

287
- ○ Le K2
- ○ Le Mont Everest
- ○ Le Grossglockner

GÉOGRAPHIE

Quel est le point commun entre Monaco, Singapour et le Vatican ?

288

- Les trois se situent en Europe
- Ce sont des « villes-États »
- Ce sont des royaumes

Où le soleil brille-t-il presque 24 heures sur 24 pendant les mois d'été ?

289

- En Australie
- En Laponie
- En Afrique du Sud

Combien y a-t-il de pays dans le monde ?

290

- 150
- 200
- 100

Dans quel pays d'Afrique parle-t-on le néerlandais ?

291

- L'Afrique du Sud
- La Tanzanie
- L'Égypte

Combien la Terre a-t-elle de lunes ?

292

- 0
- 1
- 2

Sur quel continent le lac Victoria se trouve-t-il ?

293

- L'Amérique
- L'Océanie
- L'Afrique

En combien de temps la Terre effectue-t-elle un tour complet sur elle-même ?

294

- 24 heures
- 1 mois
- 1 an

GÉOGRAPHIE

Où se trouve la Sibérie ?

295
- Au Canada
- En Alaska
- En Russie

Comment surnomme-t-on notre planète ?

296
- La planète bleue
- La planète verte
- La planète rouge

Quel est le plus long fleuve d'Europe ?

297
- Le Danube
- Le Rhin
- La Volga

Quel canal relie la mer Méditerranée et la mer Rouge ?

298
- Le canal de Suez
- Le canal de Panama
- Le canal Albert

À quel pays l'Alaska appartient-il ?

299
- À la Russie
- Au Canada
- Aux États-Unis d'Amérique

Quelle ville compte le plus grand nombre d'habitants ?

300
- Mexico
- Pékin
- Washington

Dans notre système solaire, quelle planète est la plus éloignée du Soleil ?

301
- Uranus
- Pluton
- Mars

GÉOGRAPHIE

À quel pays appartient le Groenland ?

- À l'Islande
- Au Danemark
302 - Au Canada

Dans quel océan trouve-t-on la fosse des Mariannes, l'endroit le plus profond de la planète ?

- L'océan Pacifique
- L'océan Atlantique
303 - L'océan Indien

Combien de pays l'Union européenne comptait-elle en 2005 ?

- 12
- 15
304 - 25

Qu'est-ce qu'un méridien ?

- Le centre de la Terre
- Une ligne imaginaire sur une carte
305 - Le nombre moyen d'habitants par pays

Quelle ville est arrosée par la Tamise ?

- Londres
- Dublin
306 - Belfast

Qu'est-ce qui provoque les marées ?

- Le vent
- Le magnétisme
307 - La Lune

Quel pays a la plus forte densité de population du monde ?

- La Belgique
- Singapour
308 - La Chine

Comment appelait-on un empereur russe ?

○ Un tsar
○ Un khan
309 ○ Un samouraï

Où le pape réside-t-il ?

○ À Jérusalem
○ À Rome
310 ○ À Milan

Qu'est-ce qu'un évêque ?

○ Un politicien
○ Un juge
311 ○ Un prêtre

Qui était la déesse romaine de l'amour ?

○ Aphrodite
○ Héra
312 ○ Vénus

Quel fleuve était d'une importance vitale pour l'Égypte ancienne ?

○ Le Nil
○ L'Euphrate
313 ○ L'Indus

Comment appelait-on l'Allemagne de l'Est entre 1949 et 1989 ?

○ BRD
○ RDA
314 ○ EU

En Israël, quel peuple vit en désaccord avec les Juifs ?

○ Les Égyptiens
○ Les Palestiniens
315 ○ Les Allemands

HISTOIRE

Comment s'appelle l'actuelle reine d'Angleterre ?

316
- ○ Elizabeth
- ○ Mary
- ○ Victoria

Où habite la reine d'Angleterre ?

317
- ○ À la Maison-Blanche
- ○ Au palais de l'Élysée
- ○ À Buckingham Palace

Au 4e siècle avant Jésus-Christ, qui régnait sur un vaste empire ?

318
- ○ Napoléon
- ○ Alexandre le Grand
- ○ Charlemagne

Quel grand voyageur et explorateur a donné son nom à l'Amérique ?

319
- ○ Amerigo Vespucci
- ○ Christophe Colomb
- ○ Neil Armstrong

Comment le roi de France Louis XVI a-t-il péri ?

320
- ○ Il a été fusillé
- ○ Il a été décapité
- ○ Il a fait une chute de cheval

Pendant la guerre d'Irak, qui était l'ennemi public numéro un ?

321
- ○ Saddam Hussein
- ○ Adolf Hitler
- ○ Fidel Castro

Qui a reçu de Dieu les Dix commandements, sur le mont Sinaï ?

322
- ○ Abraham
- ○ Jésus
- ○ Moïse

HISTOIRE

Dans quelle ville Jésus a-t-il célébré la dernière cène ?

323
- ○ Nazareth
- ○ Bethléem
- ○ Jérusalem

Où Hitler a-t-il passé ses derniers jours ?

324
- ○ Dans sa maison de campagne
- ○ Sur le champ de bataille
- ○ Dans un bunker

Quel pays a offert la statue de la Liberté à la ville de New York ?

325
- ○ L'Angleterre
- ○ La France
- ○ L'Allemagne

Qui fonda Rome, selon la légende ?

326
- ○ Jules César
- ○ Octave
- ○ Romulus et Remus

Dans quel pays actuel se trouvait la tour de Babel ?

327
- ○ En Irak
- ○ En Égypte
- ○ En Israël

Quel pharaon égyptien vénérait le Soleil ?

328
- ○ Akhenaton
- ○ Salomon
- ○ Cléopâtre

Quand Rome fut-elle fondée ?

329
- ○ Il y a environ 10 000 ans
- ○ Il y a environ 3 000 ans
- ○ Il y a environ 1 000 ans

De quel siècle fait partie l'année 1500 ?

○ Du 14e siècle
○ Du 15e siècle
330 ○ Du 16e siècle

Combien d'années une décennie dure-t-elle ?

○ 10 ans
○ 100 ans
331 ○ 1 000 ans

De quel pays provenait Ivan le Terrible ?

○ De l'Allemagne
○ De la Russie
332 ○ De la Chine

Qui a inventé la porcelaine ?

○ Les Chinois
○ Les Indiens
333 ○ Les Japonais

Comment appelait-on la demeure d'un noble romain ?

○ Un château
○ Une villa
334 ○ Un forum

Qui a inventé l'imprimerie ?

○ Luther
○ Gutenberg
335 ○ Einhard

Quel âge avait Romulus Augustule lorsqu'il devint empereur de l'empire romain d'Occident ?

○ 100 ans
○ 14 ans
336 ○ 6 ans

Qui a publié le *Petit Livre rouge* ?

○ Mao
○ Gandhi
337 ○ Poutine

Où les papes sont-ils inhumés ?

○ Dans leur pays d'origine
○ À la basilique Saint-Pierre
338 ○ À Jérusalem

À quel siècle l'année 600 avant Jésus-Christ appartient-elle ?

○ Au 7e siècle av. J.-C.
○ Au 6e siècle av. J.-C.
339 ○ Au 5e siècle av. J.-C.

Combien d'années dure un millénaire ?

○ 100 ans
○ 1000 ans
340 ○ 100 000 ans

De quel continent la plupart des explorateurs qui ont effectué les grandes découvertes étaient-ils originaires ?

○ D'Afrique
○ D'Amérique
341 ○ D'Europe

Qu'est-ce qu'un gladiateur ?

○ Un sénateur
○ Un lutteur
343 ○ Un prêtre

Comment appelle-t-on un territoire d'outre-mer qui est administré par un autre pays ?

○ Une colonie
○ Un État fédéral
343 ○ Une république

HISTOIRE

Comment appelle-t-on une décoration de couleurs, dans les manuscrits anciens ?

344
- ○ Une fresque
- ○ Une enluminure
- ○ Un fronton

Quel paquebot fit naufrage en 1912 ?

345
- ○ *Le Britannica*
- ○ *Le Titanic*
- ○ *L'Olympic*

Quelle arme militaire fut utilisée pour la première fois durant la Seconde Guerre mondiale ?

346
- ○ L'avion
- ○ Le tank
- ○ La fusée

Quand Jésus-Christ est-il probablement né ?

347
- ○ En l'an 0
- ○ Durant l'année 6 avant Jésus-Christ
- ○ En l'an 1000

Entre quelles deux villes le premier marathon fut-il couru ?

348
- ○ Athènes-Marathon
- ○ Amsterdam-Rotterdam
- ○ Alexandrie-Le Caire

Quel nom a-t-on donné à la femme préhistorique la plus ancienne dont on a découvert le corps en 1974 ?

349
- ○ Eva
- ○ Lucy
- ○ Mary

Sous la direction de quel navigateur a-t-on effectué pour la première fois le tour de la Terre ?

350
- ○ Christophe Colomb
- ○ Vasco de Gama
- ○ Magellan

HISTOIRE

Quelle ville Alexandre le Grand fit-il anéantir pendant la conquête de l'empire perse ?

351
- ○ Babylone
- ○ Persépolis
- ○ Alexandrie

Quel peuple a inventé la poudre à canon ?

352
- ○ Les Chinois
- ○ Les Arabes
- ○ Les Égyptiens

Quel empereur romain fit-il nommer son cheval consul ?

353
- ○ Caligula
- ○ Auguste
- ○ Néron

Quelle est l'appellation latine pour l'homme contemporain ?

354
- ○ Homo habilis
- ○ Homo erectus
- ○ Homo sapiens

Comment s'appelait Mexico à l'époque des Aztèques ?

355
- ○ Teotihuacán
- ○ Tenochtitlán
- ○ Yucatán

Qu'ont construit les Mésopotamiens ?

356
- ○ Des pyramides
- ○ Des ziggourats
- ○ Des phares

Que collectionnait l'impératrice Catherine II la Grande ?

357
- ○ Les têtes de ses amants
- ○ Des coquillages
- ○ Des oiseaux exotiques

Qui a prononcé les paroles historiques : « L'État, c'est moi » ?

358
- ○ Napoléon
- ○ Louis XIV
- ○ Jacques Chirac

Quel philosophe grec fut condamné à boire de la ciguë ?

359
- ○ Platon
- ○ Socrate
- ○ Aristote

Comment s'appelait l'épée du légendaire roi gallois Arthur ?

360
- ○ Guenièvre
- ○ Excalibur
- ○ Lancelot

Chez les Grecs anciens, qui était le dieu de la mer ?

361
- ○ Poséidon
- ○ Zeus
- ○ Dionysos

Quelle est la longueur approximative de la Grande Muraille de Chine ?

362
- ○ 6 300 km
- ○ 8 800 km
- ○ 10 500 km

Qui a été emprisonné pour avoir affirmé que la Terre tournait autour du Soleil ?

363
- ○ Copernic
- ○ Kepler
- ○ Galilée

Qui fut le premier président des États-Unis d'Amérique ?

364
- ○ Jefferson
- ○ Washington
- ○ Adams

Quelle était la particularité du dernier empereur de Chine ?

365
- ○ C'était un enfant
- ○ Il était aveugle
- ○ C'était une femme

Qu'est-ce qui causait la peste ?

366
- ○ L'urine
- ○ Les puces
- ○ La pollution

Comment les Romains transportaient-ils de grandes quantités d'eau sur de longues distances ?

367
- ○ Avec des viaducs
- ○ Avec des aqueducs
- ○ Avec des containers

Sur les terres de quel puissant personnage le soleil ne se couchait-il jamais ?

368
- ○ Charles-Quint
- ○ Charlemagne
- ○ Gengis Khan

Comment s'appelait le premier pape ?

369
- ○ Benoît
- ○ Paul
- ○ Pierre

Dans quel pays Hitler est-il né ?

370
- ○ En Allemagne
- ○ En Autriche
- ○ En Suisse

Quel nom la ville turque d'Istanbul a-t-elle porté dans le passé ?

371
- ○ Antioche
- ○ Ankara
- ○ Byzance

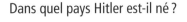

Comment s'appelait la Terre promise du temps de Moïse ?

372
- ○ Canaan
- ○ La Palestine
- ○ Israël

Qu'est-ce qui a partagé Berlin en deux entre 1963 et 1989 ?

373
- ○ Un rideau
- ○ Un mur
- ○ Une barrière de fer

Qui a condamné Jésus à la crucifixion ?

374
- ○ Barabbas
- ○ Pilate
- ○ Pierre

Dans quelle ville les premiers jeux Olympiques de l'ère moderne se sont-ils déroulés, en 1896 ?

375
- ○ Paris
- ○ Athènes
- ○ Londres

Quel peuple a été le premier à utiliser la roue ?

376
- ○ Les Égyptiens
- ○ Les Chinois
- ○ Les Sumériens

Qu'est-ce qu'un tumulus ?

377
- ○ Une tombe
- ○ Une cathédrale
- ○ Une grande pierre

En quelle année la Révolution française a-t-elle commencé ?

378
- ○ En 1789
- ○ En 1689
- ○ En 1889

Qui cherche des vestiges du passé ?

379
- ○ Un archéologue
- ○ Un biologiste
- ○ Un philosophe

À quel peuple appartenait Goliath que David a vaincu ?

380
- ○ Les Cananéens
- ○ Les Israéliens
- ○ Les Philistins

Comment s'appelait le dieu suprême des Romains ?

381
- ○ Mars
- ○ Jupiter
- ○ Vénus

Quel président américain a été assassiné en 1963 ?

382
- ○ Kennedy
- ○ Nixon
- ○ Clinton

Sur quel pays disparu le Grec Platon a-t-il écrit ?

383
- ○ La Lémurie
- ○ L'Atlantide
- ○ La Lyonesse

Combien de plaies Yahvé fit-il s'abattre sur l'Égypte ?

384
- ○ 8
- ○ 12
- ○ 10

Quel pays a été le premier à être frappé par une bombe atomique ?

385
- ○ La Chine
- ○ Le Japon
- ○ La Russie

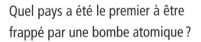

CHIFFRES

Combien d'angles droits un triangle équilatéral possède-t-il ?

386
- ○ 0
- ○ 1
- ○ 3

Combien de pattes totalisent 6 porcs et 8 vaches ?

387
- ○ 56 pattes
- ○ 48 pattes
- ○ 28 pattes

Combien de degrés font, ensemble, tous les angles d'un rectangle ?

388
- ○ 180°
- ○ 360°
- ○ 720°

Combien de secondes dure un quart d'heure ?

389
- ○ 600
- ○ 900
- ○ 1 200

Combien de doigts ont, ensemble, 9 gauchers et 15 droitiers ?

390
- ○ 120
- ○ 240
- ○ 150

Combien de mètres parcourt-on si on marche pendant une demi-heure à une allure constante de 10 km/h ?

391
- ○ 7 500 mètres
- ○ 6 000 mètres
- ○ 5 000 mètres

Combien de millilitres y a-t-il dans 5 litres de vin ?

392
- ○ 500 ml
- ○ 50 000 ml
- ○ 5 000 ml

CHIFFRES

Qu'est-ce qui pèse le plus lourd ?
1 kg de plomb ou 1 kg de beurre ?

393

○ C'est la même chose
○ Le plomb
○ Le beurre

Quelle année précéda immédiatement
65 avant Jésus-Christ ?

394

○ 66 avant Jésus-Christ
○ 64 avant Jésus-Christ

De combien de temps la Terre a-t-elle
besoin pour effectuer une rotation
autour du Soleil ?

395

○ Un jour
○ Un mois
○ Un an

Combien d'œufs (environ) une poule
en bonne santé peut-elle pondre en
un an ?

396

○ 200
○ 300
○ 400

Sur la Lune, pèse-t-on plus ou moins
que sur Terre ?

397

○ Plus
○ Moins
○ Pareil

Combien de tours complets la petite
aiguille d'une montre effectue-t-elle
pendant le mois de mai ?

398

○ 31 tours complets
○ 62 tours complets
○ 60 tours complets

Quel chiffre indique la grande
aiguille d'une horloge lorsqu'il est
10 heures moins vingt ?

399

○ 10
○ 8
○ 9

CHIFFRES

Combien fait la moitié du triple de 40 ?
- ○ 60
- ○ 40
- **400** ○ 80

Combien de points y a-t-il sur la face cachée d'un dé si on a jeté un 3 ?
- ○ 4
- ○ 5
- **401** ○ 2

Quel jour de la semaine sommes-nous neuf jours avant mardi ?
- ○ Lundi
- ○ Dimanche
- **402** ○ Samedi

Combien de faces un morceau de sucre (carré) compte-t-il ?
- ○ 4
- ○ 6
- **403** ○ 8

Combien font ⅔ de 2 400 ?
- ○ 800
- ○ 1 200
- **404** ○ 1 600

Le film commence à 20 h 20 et il dure 115 minutes.
À quelle heure se terminera-t-il ?
- ○ 22 h 15
- ○ 22 h 20
- **405** ○ 22 h 30

Quelle est la somme des nombres dans mille neuf cent cinquante-deux ?
- ○ 9
- ○ 12
- **406** ○ 17

CHIFFRES

Combien fait la moitié du quadruple de 50 ?

407
- ○ 200
- ○ 100
- ○ 1

À quel pourcentage correspond un cinquième ?

408
- ○ 50 %
- ○ 25 %
- ○ 20 %

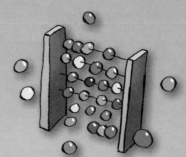

Combien fait la moitié du double de 34 476 ?

409
- ○ 17 238
- ○ 68 952
- ○ 34 476

Si on retire 35° d'un angle de 125°, on obtient un…

410
- ○ angle droit
- ○ angle obtus
- ○ angle aigu

Combien d'années totalisent, ensemble, deux siècles et un millénaire ?

411
- ○ 2 100 années
- ○ 1 200 années
- ○ 120 années

Si Robin est de 5 cm plus grand que Jean et Jean plus petit de 7 cm que José, qui est le plus grand des trois ?

412
- ○ Robin
- ○ Jean
- ○ José

Comment appelle-t-on un triangle qui a deux côtés égaux ?

413
- ○ Un triangle équilatéral
- ○ Un triangle isocèle
- ○ Un triangle rectangle

Combien de dents possèdent tes parents ?

414
- ○ 32
- ○ 45
- ○ 64

De combien de degrés un angle de 45° est-il plus petit qu'un angle droit ?

415
- ○ 45°
- ○ 55°
- ○ 35°

Comment appelle-t-on également un angle de 180° ?

416
- ○ Angle plat
- ○ Angle obtus
- ○ Angle aigu

Quelle est la longueur d'une piscine olympique ?

417
- ○ 20 mètres
- ○ 25 mètres
- ○ 50 mètres

Que fait-on environ 16 fois par minute ?

418
- ○ Remuer les paupières
- ○ Remuer la langue
- ○ Respirer

Dans quel siècle vivrons-nous dans 20 ans ?

419
- ○ Au 20e
- ○ Au 21e
- ○ Au 22e

Après combien de secondes un boxeur mis au tapis est-il déclaré knock-out ?

420
- ○ 10 secondes
- ○ 15 secondes
- ○ 3 secondes

CHIFFRES

À l'extérieur, il fait 6 °C et la température chute de 7 °C. Combien fait-il ?
421
- ○ -1 °C
- ○ 1 °C
- ○ -13 °C

Combien de tranches peut-on faire dans un pain entier ?
422
- ○ 23
- ○ 15
- ○ 1

Combien de litres d'eau y a-t-il dans un mètre cube ?
423
- ○ 100 litres
- ○ 10 litres
- ○ 1 000 litres

Combien de fois la Terre tourne-t-elle sur elle-même en 48 heures ?
424
- ○ 1 fois
- ○ 2 fois
- ○ 365 fois

Combien font 75 % de 1 000 ?
425
- ○ 500
- ○ 750
- ○ 850

Quelle est la somme de tous les nombres pairs inférieurs à 10 ?
426
- ○ 18
- ○ 20
- ○ 24

Combien de pattes ont, ensemble, 4 chiens, 3 chats et 5 cochons ?
427
- ○ 48
- ○ 56
- ○ 60

Combien de zéros y a-t-il dans 9 milliards ?

428
- ○ 6
- ○ 9
- ○ 12

Si un cycliste roule à 24 km/h, combien de kilomètres aura-t-il parcourus après une heure et demie ?

429
- ○ 12 km
- ○ 30 km
- ○ 36 km

Combien de zéros écrit-on dans le nombre un million sept cent mille un ?

430
- ○ 3
- ○ 4
- ○ 6

Sachant qu'hier nous étions lundi, quel jour serons-nous après-demain ?

431
- ○ Mercredi
- ○ Jeudi
- ○ Vendredi

Le nombre 15 865 est-il divisible par 5 ?

432
- ○ Oui
- ○ Non

Quel est le double de 10 fois 100 ?

433
- ○ 200
- ○ 2 000
- ○ 4 000

Combien font 37 fois 9 ?

434
- ○ 407
- ○ 333
- ○ 343

Le nombre 13 457 654 est-il divisible par 3 ?

○ Oui
○ Non

435

Combien font 54 fois 11 ?

○ 594
○ 486
○ 586

436

Tom reçoit ¼ d'une tarte, Anne en reçoit ⅓. Qui a reçu le plus grand morceau ?

○ Tom
○ Anne

437

Combien de secondes y a-t-il dans deux heures et demie ?

○ 7 200
○ 9 000
○ 10 800

438

Combien font 94 fois 5 ?

○ 460
○ 465
○ 470

439

Combien font 47 fois 15 ?

○ 245
○ 705
○ 745

440

Au bowling, tu as renversé 5, 7, 4, 9 et 10 quilles. Quel a été le décompte moyen de tes points ?

○ 6
○ 7
○ 8

441

CHIFFRES

Ton frère habite à 18 km de chez toi.
Tu marches à la vitesse de 4 km/h.
Combien d'heures le trajet dure-t-il ?

442
- ○ Quatre heures et demie
- ○ Trois heures et demie
- ○ Cinq heures

Combien font 69 fois 9 ?

443
- ○ 759
- ○ 621
- ○ 641

Le nombre 4 653 278 est-il divisible
par 2 ?

444
- ○ Oui
- ○ Non

Combien d'arrière-grands-pères
as-tu s'ils sont encore tous en vie ?

445
- ○ 2
- ○ 4
- ○ 8

Tu as acheté une jupe pour 28 euros.
Le prix normal était de 56 euros.
Quelle réduction as-tu obtenue ?

446
- ○ 28 %
- ○ 50 %
- ○ 75 %

Le nombre 46 093 est-il divisible
par 3 ?

447
- ○ Oui
- ○ Non

Quel est le maximum de points que
tu peux obtenir en lançant 7 dés ?

448
- ○ 42
- ○ 35
- ○ 7

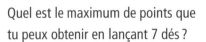

Mimi est plus âgée que Jo et Jo est plus jeune que Sophie qui est plus âgée que Mimi. Qui est la plus vieille ?

449
- ○ Mimi
- ○ Jo
- ○ Sophie

Si tu veux parcourir 925 km et si tu roules à une moyenne de 100 km/h, combien de temps passeras-tu en voiture ?

450
- ○ 10 heures et demie
- ○ 9 heures et quart
- ○ 12 heures et quart

Tu lis douze pages à l'heure. Combien de temps mettras-tu pour lire un livre de 102 pages ?

451
- ○ 8 heures et demie
- ○ 10 heures et quart
- ○ 12 heures et demie

À quel siècle étions-nous en 1987 ?

452
- ○ Au 20^e
- ○ Au 19^e
- ○ Au 21^e

À quel millénaire étions-nous en l'an 654 ?

453
- ○ Au 1er
- ○ Au 2^e

Un lustre est une période de temps de…

454
- ○ 5 ans
- ○ 10 ans
- ○ 15 ans

Combien de paires d'oreilles ont, ensemble, 6 lapins et 8 lièvres ?

455
- ○ 14
- ○ 28
- ○ 32

CHIFFRES

Combien de cartes à jouer y a-t-il
dans un jeu complet ?

456
○ 50
○ 52
○ 54

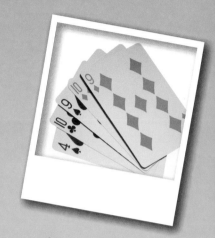

Combien de rois et d'as y a-t-il dans
un jeu de cartes lorsque tous les
trèfles ont disparu ?

457
○ 6
○ 7
○ 8

Tu vas toutes les six semaines chez
le coiffeur. Combien de fois par an y
vas-tu ?

458
○ Au minimum 9 fois
○ Au minimum 6 fois
○ Au minimum 8 fois

Si une piste de course est longue de
400 mètres, combien de tours faut-il
réaliser pour parcourir 5 km ?

459
○ 10,5
○ 11,5
○ 12,5

Quelle superficie couvrira-t-on, si l'on
installe un revêtement de sol d'une
pièce qui mesure neuf mètres de long
sur sept mètres de large ?

460
○ 16 m²
○ 63 m²
○ 70 m²

Combien font 67 x 8 x 4 x 0 ?

461
○ 2144
○ 0
○ 2344

Combien 3 vaches et 4 chevaux
ont-ils ensemble d'estomacs ?

462
○ 7
○ 12
○ 16

Quelle est l'utilité de l'herbe ?

 463

○ Elle sert de nourriture à de nombreux animaux
○ Elle donne au monde de jolies couleurs
○ Elle produit une grande
quantité d'oxygène dans l'air

Quelle est la principale fonction des arbres ?

 464

○ Faire de l'ombre
○ Créer de jolis paysages
○ Produire de l'oxygène

Que fait la moelle osseuse ?

 465

○ Elle crée de nouvelles cellules
○ Elle approvisionne notre organisme en oxygène
○ Elle fait en sorte que nos bras et nos jambes
puissent bouger

Qu'est-ce qu'une plante parasite ?

 466

○ Une plante qui est seule dans la nature
○ Une plante qui ne fleurit qu'un seul jour
○ Une plante qui se nourrit d'une autre
plante

Qu'est-ce qu'un rond de sorcières ?

 467

○ Un cercle formé par des champignons
○ Un cercle de fleurs des champs
○ Un endroit où l'on brûlait autrefois
les sorcières

Les arbres font parfois office de boussole. Quel point cardinal trouve-t-on du côté de l'arbre où il y a de la mousse ?

 468

○ L'est
○ Le nord
○ L'ouest

À quoi ressemblent les aiguilles d'un pin ?

 469

○ Des aiguilles courtes et indépendantes
○ De longues aiguilles en faisceaux de 2, 3 ou 5
○ Des aiguilles à quatre côtés et à la
pointe acérée

Qu'est-ce que la résine ?

 ○ Le feuillage des arbres feuillus
○ Une pomme de pin en forme de cône
470 ○ Une substance collante et huileuse produite par les conifères

Qu'est-ce qu'une métamorphose ?

 ○ Une cellule nerveuse
○ Un changement de forme
471 ○ Un animal doté d'une colonne vertébrale

Je suis un petit concombre et on me trouve souvent dans le vinaigre, ce qui permet de me conserver très longtemps. Qui suis-je ?

 ○ Un petit oignon
○ Une câpre
472 ○ Un cornichon

Quel résineux est également un conifère à aiguilles caduques ?

○ L'épicéa
○ Le cèdre
473 ○ Le mélèze

Qui a effectué la toute première transplantation cardiaque ?

○ Christiaan Barnard
○ Florence Nightingale
474 ○ Alexander Fleming

Combien de chromosomes dénombre-t-on dans chaque cellule humaine ?

○ 23
○ 46
475 ○ 50

Comment appelle-t-on également une personne qui souffre du syndrome de Down ?

○ Un trisomique
○ Un patient cancéreux
476 ○ Un malade du foie

NATURE

Qu'ont en commun les narcisses, les hyacinthes et les crocus ?

477
- Ce sont des plantes à bulbes
- Elles fleurissent au printemps
- Ce sont des légumineuses

Qu'est-ce que le yéti ?

478
- Le Loch Ness en Écosse
- Bigfoot aux États-Unis
- L'abominable homme des neiges dans l'Himalaya

Qu'est-ce qu'un prématuré ?

479
- Un enfant qui est né avant terme
- Un microscope
- Un endroit fertile dans le désert

Qu'est-ce que la puberté ?

480
- Le fait qu'un bambin atteigne l'âge scolaire
- Le passage de l'enfance à l'âge adulte
- Le passage de l'état de bébé à celui de petit enfant

Comment appelle-t-on l'hormone sexuelle mâle ?

481
- La testostérone
- L'œstrogène
- La progestérone

Je suis le fruit d'un arbre bas, et je vis dans le bassin méditerranéen. Lorsque je suis jeune, je suis vert et peu à peu, je noircis.

482
- La câpre
- L'olive
- La pistache

Qu'est-ce que le sirocco ?

483
- Un volcan situé en Italie
- Une mer déchaînée
- Un vent qui souffle dans le bassin méditerranéen

NATURE

Qu'est-ce que l'Etna ?

○ Un vent violent du sud de la France
○ Un volcan situé en Sicile
484 ○ L'épave d'un bateau au fond de la Méditerranée

Comment appelle-t-on la plante bleu-mauve qui pousse en Provence (France) sur un terrain sec et caillouteux, et qui répand un délicieux parfum ?

○ Le thym
○ Le romarin
485 ○ La lavande

Que dois-tu faire si tu te brûles au doigt ?

○ L'envelopper d'un pansement
○ Y appliquer une couche de pommade
486 ○ Le refroidir en le plaçant 10 minutes sous l'eau froide

Qu'entend-on par ambidextre ?

○ Une personne gauchère
○ Une personne droitière
487 ○ Une personne aussi habile de la main gauche que de la main droite

On dit que l'écorce de cet arbre serait efficace contre le mal de tête. De quel arbre s'agit-il ?

○ Le tilleul
○ Le châtaignier
488 ○ Le saule blanc

Quand parle-t-on d'ouragan ?

○ Vitesse du vent supérieure à 120 km/h
○ Vitesse du vent supérieure à 80 km/h
489 ○ Vitesse du vent supérieure à 100 km/h

Donne un synonyme de marée montante.

○ Montée
○ Flux
490 ○ Reflux

NATURE

Je proviens d'Amérique centrale. Je contiens peu de calories et les Italiens m'appellent « la pomme d'or ». Qui suis-je ?

491
- ○ La pomme de terre
- ○ La tomate
- ○ L'aubergine

J'appartiens à la famille des cucurbitacées, comme le potiron et la courgette. Je fais aussi un excellent dessert et je suis riche en vitamine C.

492
- ○ Le melon
- ○ La papaye
- ○ L'avocat

Qu'est-ce que le thorax ?

493
- ○ Les muscles de la cuisse
- ○ L'intestin grêle, le gros intestin et l'estomac
- ○ La cage thoracique, qui abrite le cœur et les poumons

Que sont les menstruations ?

494
- ○ Des hormones féminines
- ○ Les organes sexuels masculins
- ○ Un saignement qui se produit chaque mois chez la femme

Je pousse sur un buisson bourré d'épines. Je suis rouge et douce comme le velours. Il n'est pas nécessaire de m'éplucher.

495
- ○ La groseille rouge
- ○ La myrtille
- ○ La framboise

Lequel de ces produits alimentaires ne contient pas d'hydrates de carbone ?

496
- ○ Les pâtes
- ○ Le riz
- ○ Le beurre

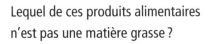

Lequel de ces produits alimentaires n'est pas une matière grasse ?

497
- ○ L'huile
- ○ La viande
- ○ Le beurre

Lequel de ces produits alimentaires ne contient pas de protéines ?

498
- ○ Les œufs
- ○ Le riz
- ○ La viande

Je suis une céréale originaire d'Amérique. Je contiens beaucoup de matières grasses, dont on produit de l'huile.

499
- ○ L'olive
- ○ Le maïs
- ○ Le manioc

Combien de fois un adulte respire-t-il en moyenne par minute ?

500
- ○ 40 fois
- ○ 25 fois
- ○ 15 fois

Je suis le plat préféré de l'écureuil. Je suis délicieuse enrobée de chocolat et je contiens des vitamines E et B, des protéines, et beaucoup d'énergie.

501
- ○ La cacahuète (arachide)
- ○ La noisette
- ○ L'amande

Qu'est-ce qu'un médicament générique ?

502
- ○ Un médicament qui peut servir à tout
- ○ Un médicament peu onéreux et efficace
- ○ Un médicament qui vient d'apparaître sur le marché

Comment s'appelle l'art floral japonais ?

503
- ○ Origami
- ○ Ikebana
- ○ Tai-chi

Comment s'appelle un territoire dépourvu d'arbres, à la frontière de la zone polaire ?

504
- ○ Une steppe
- ○ Une étendue herbeuse
- ○ La toundra

NATURE

Qu'est-ce qu'une forêt humide ?

505
- ○ Un endroit où il pleut tout le temps
- ○ Un bois où il y a beaucoup de vers de terre
- ○ Une forêt luxuriante avec de nombreuses espèces végétales

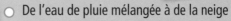

À quelle vitesse poussent nos cheveux ?

506
- ○ 5 cm par mois
- ○ 3 cm par mois
- ○ 1,5 cm par mois

Qu'entend-on par pluie acide ?

507
- ○ De l'eau de pluie mélangée à de la neige
- ○ De l'eau de pluie mélangée à de la grêle
- ○ De l'eau de pluie mélangée à des substances chimiques

Est-ce que des gens vivent au pôle Sud ?

508
- ○ Oui
- ○ Non
- ○ Uniquement l'été

Qui a été le fondateur de la médecine ?

509
- ○ Hippocrate
- ○ Platon
- ○ Socrate

Qu'est-ce que le mal de mer ?

510
- ○ Un dérangement du système digestif
- ○ Des troubles de l'équilibre
- ○ Des troubles respiratoires

Pourquoi un bébé fait-il un rot après avoir mangé ?

511
- ○ Il ne sait pas que c'est impoli
- ○ Il mange si goulûment qu'il avale beaucoup d'air
- ○ Son système digestif n'est pas encore entièrement développé

NATURE

Combien de litres de sang circulent dans notre organisme ?

512
- ○ 5 litres
- ○ 10 litres
- ○ 2 litres

Pourquoi les bébés dorment-ils autant ?

513
- ○ La croissance demande beaucoup d'énergie
- ○ Sinon, ils s'ennuient
- ○ Ils ont gardé cette habitude depuis leur séjour dans l'utérus de leur maman

Quels sont les groupes sanguins ?

514
- ○ A, B, C, D
- ○ A, B, AB, O
- ○ A, B, O

Qu'est-ce qu'une oasis ?

515
- ○ Une étendue herbeuse
- ○ Un marché où les gens se réunissent
- ○ Un endroit du désert où l'on trouve de l'eau et des plantes

De combien d'articulations se compose le corps humain ?

516
- ○ Environ 50
- ○ Environ 100
- ○ Environ 200

Outre le fait de donner une forme à notre corps, quelle autre fonction a le squelette ?

517
- ○ Protéger les organes
- ○ Fabriquer des hormones
- ○ Maintenir le sang à la bonne température

Quel est le rôle des muscles ?

518
- ○ Protéger le squelette
- ○ Permettre les mouvements
- ○ Fabriquer des minéraux

NATURE

Quelle est la taille approximative
du cœur ?

519

- Un ballon de football
- Une petite balle de ping-pong
- Un poing fermé

Combien de dents de lait les enfants
ont-ils ?

520

- 20
- 28
- 32

Où se passe la majeure partie de la
digestion ?

521

- Dans le côlon
- Dans l'estomac
- Dans l'intestin grêle

Qu'est-ce qui permet de percevoir
les goûts ?

522

- La langue
- La cavité buccale
- Le nez

Qu'est-ce qu'une narcose ?

523

- Une transfusion sanguine
- Une anesthésie
- Une métamorphose

Comment fabrique-t-on le chocolat ?

524

- Avec des fèves de cacao
- Avec des graines de cacao
- Avec les fruits du cacaoyer

De quel aliment peut-on extraire
le sucre ?

525

- De la betterave sucrière
- De la fève de haricot
- Des céréales

NATURE

Y a-t-il de la vie dans la mer Morte ?

 526
- ○ Non
- ○ Oui

Pourquoi les fleurs éclosent-elles au printemps et en été ?

 527
- ○ Parce que le Soleil brille
- ○ Pour attirer les insectes
- ○ Pour que le jardin soit joli

Qu'entend-on par la limite de la végétation arborescente ?

 528
- ○ La hauteur qu'un arbre peut atteindre
- ○ Une frontière formée par une rangée d'arbres
- ○ L'altitude en montagne où poussent les derniers arbres

Devine qui je suis ! J'ai une couleur orangée et à la période d'Halloween, on me voit partout.

 529
- ○ La betterave
- ○ La citrouille
- ○ La courgette

Quel aliment italien est fabriqué à partir de céréales moulues et d'eau, parfois d'œufs, et peut être frais ou sec ?

 530
- ○ Les pâtes
- ○ Le riz
- ○ Les flocons d'avoine

Combien de mètres mesure le tube digestif en entier ?

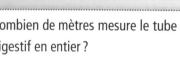 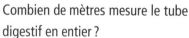 **531**
- ○ 5 mètres
- ○ 10 mètres
- ○ 20 mètres

De quel fruit proviennent de petites fèves non comestibles ? De la poudre qui en résulte, on fabrique un délice sucré.

 532
- ○ Les graines de café
- ○ Les fèves de cacao
- ○ Les cacahuètes (arachides)

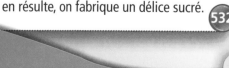

NATURE

Quel est le plus grand océan du monde ?

533
- ○ L'océan Atlantique
- ○ L'océan Indien
- ○ L'océan Pacifique

Quel est le désert le plus sec de notre planète ?

534
- ○ Le Sahara
- ○ L'Atacama
- ○ Le désert de Gobi

Quel agrume est plein de vitamine C ? Il en existe aussi une variété qu'on qualifie injustement de sanguine.

535
- ○ Le pamplemousse
- ○ L'orange
- ○ Le citron

Devine qui je suis ! Ma partie blanche a un goût raffiné et la verte est délicieuse dans les potages. Je suis un purificateur du système digestif.

536
- ○ Le céleri
- ○ Le poireau
- ○ La betterave

Après l'eau, quelle est la boisson la plus consommée dans le monde ?

537
- ○ Le thé
- ○ Le café
- ○ Le cacao

Nous cherchons un légume qui a la caractéristique désagréable de faire pleurer celui ou celle qui l'épluche.

538
- ○ Le radis
- ○ L'oignon
- ○ L'ail

Quel fruit tropical a une chair jaune dorée et est à la fois juteux et fibreux ? Il est excellent pour la santé.

539
- ○ Le kiwi
- ○ L'ananas
- ○ La carambole

Combien de temps dure un match de handball ?

- 2 fois 30 minutes
- 2 fois 35 minutes
- **540** 2 fois 45 minutes

Comment appelle-t-on en anglais le « trou dans le green » sur un terrain de golf ?

- Tee
- Swing
- **541** Hole

De quel pays le boomerang est-il originaire ?

- De l'Australie
- De la Nouvelle-Zélande
- **542** De la Papouasie-Nouvelle-Guinée

Quelle est la plus longue épreuve de ski de fond chez les hommes ?

- 20 km
- 50 km
- **543** 100 km

Dans quelle discipline de ski n'utilise-t-on pas de bâtons ?

- Le saut à skis
- Le slalom
- **544** La descente

Dans quel sport exécute-t-on une pirouette ?

- Le bobsleigh
- L'escalade
- **545** Le patinage artistique

De combien de joueurs se compose une équipe de hockey sur glace ?

- 11 joueurs
- 22 joueurs
- **546** 30 joueurs

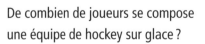

SPORT ET JEUX

Quel accessoire n'utilise-t-on pas en gymnastique rythmique ?

547
- ○ Le ballon
- ○ Le cerceau
- ○ Le bâton

De quel style de nage s'agit-il ? Faire onduler les jambes comme un dauphin. Cela, combiné à la propulsion des bras, projette le nageur en avant.

548
- ○ La nage papillon
- ○ La brasse
- ○ Le dos crawlé (nage sur le dos)

Quel pays a conquis le plus de titres de champion du monde de football (soccer) ?

549
- ○ L'Allemagne
- ○ L'Argentine
- ○ Le Brésil

Quel est le dernier coureur cycliste à avoir remporté trois fois le titre de champion du monde sur route ?

550
- ○ Eddy Merckx
- ○ Oscar Freire
- ○ Greg Lemond

Quel est le score maximum au bowling (aux quilles) ?

551
- ○ 100 points
- ○ 200 points
- ○ 300 points

Dans quel sport parle-t-on de steeple-chase ?

552
- ○ En équitation
- ○ En natation
- ○ En cyclisme

Dans quelle ville les jeux Olympiques d'hiver se sont-ils déroulés en 2006 ?

553
- ○ Innsbrück
- ○ Turin
- ○ Lake Placid

De quel pays la joueuse de tennis américaine Martina Navratilova est-elle originaire ? **554**

- ○ De la Tchécoslovaquie
- ○ De la Russie
- ○ De la Bulgarie

Avec quel accessoire joue-t-on un match de badminton ? **555**

- ○ Un volant
- ○ Une balle
- ○ Un palet

Dans quelle ville dispute-t-on les Internationaux des États-Unis (U.S. Open) de tennis ? **556**

- ○ Dallas
- ○ Los Angeles
- ○ New York

Comment appelle-t-on un bateau à rames d'une seule personne ? **557**

- ○ Un skiff
- ○ Un aviron
- ○ Une chaloupe

Comment les Italiens appellent-ils leur championnat de football de division 1 ? **558**

- ○ Bundesliga
- ○ Premier League
- ○ Serie A (Calcio)

En sport automobile, comment appelle-t-on une compétition qui se déroule sur des routes fermées pour l'occasion, mais ouvertes en temps normal ? **559**

- ○ Un rallye
- ○ Un trial
- ○ Un parc fermé

Combien de tours les coureurs de 10 000 mètres parcourent-ils, sachant qu'une piste d'athlétisme mesure 400 mètres ? **560**

- ○ 20
- ○ 25
- ○ 30

SPORT ET JEUX

Dans quel sport pratiqué aux jeux Olympiques d'hiver parcourt-on une piste sinueuse tracée dans la glace au moyen d'une luge orientable ? **561**

- Le bobsleigh
- Le curling
- Le ski acrobatique

Dans quel pays les jeux Olympiques d'été se sont-ils déroulés en 2008 ? **562**

- Aux États-Unis
- En Russie
- En Chine

Quel pays a remporté le plus grand nombre de médailles d'or aux jeux Olympiques (total cumulé jusqu'en 2004) ? **563**

- Les États-Unis
- La Grande-Bretagne
- La Chine

Qui a remporté le titre olympique en tennis aux jeux Olympiques d'été à Athènes, en 2004 ? **564**

- Davenport
- Mauresmo
- Hénin

À quoi les planeurs doivent-ils faire attention pour pouvoir voler aussi longtemps que possible ? **565**

- À la thermique
- Au carburant
- À la température

Qui porte le maillot jaune au Tour de France ? **566**

- Le meneur du classement en nombre de points
- Le meneur du classement aux étapes de montagne
- Le meneur du classement selon le temps

Dans quel sport parle-t-on de « pit stop » ou arrêt au puits ? **567**

- Le sport automobile
- Les courses cyclistes
- La planche à roulettes

Quel engin de saut utilise-t-on en gymnastique ?

- ○ L'âne
- ○ Le cheval
- **568** ○ Le trampoline

Quel est le record du monde du saut à la perche chez les hommes (en 2005) ?

- ○ Plus de 5 mètres
- ○ Plus de 5,50 mètres
- **569** ○ Plus de 6 mètres

Qu'est-ce que l'E.P.O. ?

- ○ Un produit dopant
- ○ Une équipe de football du Burundi
- **570** ○ La fédération internationale des sports équestres

Quel genre de jeu est le bridge ?

- ○ Un jeu de société
- ○ Un jeu de cartes
- **571** ○ Un jeu de ballon

Quel pays a donné naissance au football (soccer) moderne ?

- ○ Les États-Unis
- ○ L'Angleterre
- **572** ○ La France

Quel mot ne désigne pas une allure dans les courses de chevaux ?

- ○ Le trot
- ○ Le galop
- **573** ○ Le cloche-pied

Dans quel pays court-on les 24 heures du Mans ?

- ○ En France
- ○ En Belgique
- **574** ○ En Suisse

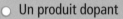

SPORT ET JEUX

Comment appelle-t-on l'équipe nationale de basket-ball aux États-Unis ? **575**

- La Dream Team
- La Magic Team
- La Best Team

Quand on commence au judo, quelle ceinture reçoit-on ? **576**

- Noire
- Bleue
- Blanche

De quel pays proviennent les lutteurs de sumo ? **577**

- De la Chine
- Du Japon
- De la Corée du Sud

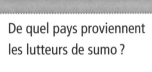

Comment reconnaît-on une équipe au water-polo ? **578**

- Aux maillots de bain
- Aux brassards
- Aux bonnets de bain

Pour battre le record du monde de l'heure, on doit parcourir une distance aussi grande que possible. À combien s'établit ce record du monde (en 2005) ? **579**

- Près de 40 km
- Près de 50 km
- Près de 55 km

Qui a inventé les jeux Olympiques ? **580**

- Les Grecs
- Les Romains
- Les Américains

Combien de couloirs comporte une piste d'athlétisme ? **581**

- Cinq
- Huit
- Dix

SPORT ET JEUX

Qu'est-ce que le steeple-chase ?

- Une compétition de marche
- Une compétition de natation
- **582** Une compétition équestre

Quel sport pratique Lance Armstrong ?

- Le cyclisme
- Le sport automobile
- **583** La boxe

Quel sport n'est pas un sport de lancer ?

- Le lancer du marteau
- Le lancer du poids
- **584** Le triple saut

Combien de fois Eddy Merckx a-t-il gagné le Tour de France ?

- Quatre
- Cinq
- **585** Six

Quelle poudre utilise-t-on dans une compétition de gymnastique pour avoir une meilleure prise ?

- Le sable
- La farine
- **586** Le talc

Quel pays fut champion du monde de football en 1998 ?

- La France
- Le Brésil
- **587** L'Argentine

Quel sport n'est pas un sport de combat ?

- Le judo
- Le karaté
- **588** L'aérobic

SPORT ET JEUX

Qu'est-ce qu'une régate ?

589
- ○ Une compétition de voile
- ○ Une compétition de marche
- ○ Une compétition de ski

De combien de joueurs se compose une équipe de basket-ball (sur le terrain) ?

590
- ○ Cinq
- ○ Sept
- ○ Onze

Quel tournoi de tennis n'est pas un tournoi du Grand Chelem ?

591
- ○ Roland-Garros
- ○ Wimbledon
- ○ Queens

Que recevaient les Grecs anciens en cas de victoire durant les jeux en l'honneur des dieux à Olympie ?

592
- ○ Une couronne de lauriers
- ○ Une coupe
- ○ Une médaille

Quel sport n'était pas une discipline olympique à Athènes, en 2004 ?

593
- ○ Le golf
- ○ Le ski
- ○ La natation

Quelle arme utilise-t-on dans le biathlon ?

594
- ○ La carabine
- ○ L'arc
- ○ Le javelot

À quel sport Garmisch-Partenkirchen est-il associé ?

595
- ○ Le saut à ski
- ○ Le sport automobile
- ○ L'aviron

SPORT ET JEUX

Dans quel sport parle-t-on de l'« Ironman d'Hawaii » (homme de fer de Hawaï) ?

596
- Le triathlon
- Le marathon
- Le rugby

Quel pays a remporté le plus de médailles (or, argent, bronze) aux jeux Olympiques d'Athènes, en 2004 ?

597
- La Chine
- La Russie
- Les États-Unis

À combien s'établit le record du monde masculin du 100 mètres (athlétisme) ?

598
- 9,84 secondes
- 10,11 secondes
- 11,02 secondes

Quel sport ne fait pas partie des épreuves du décathlon ?

599
- Le 100 mètres
- Le lancer du javelot
- les 3 000 mètres

Pour quelle équipe nationale de football (soccer) Ronaldo joue-t-il ?

600
- Argentine
- Brésilienne
- Espagnole

Quel sport Tiger Woods pratique-t-il ?

601
- Le golf
- Le tennis
- La formule 1

Comment s'appelle l'association de basket-ball professionnel aux États-Unis ?

602
- NBA
- FIFA
- NHL

SPORT ET JEUX

De quel sport provient le terme
« ippon » ?

603

- ○ L'équitation
- ○ Le judo
- ○ L'escrime

Combien de couloirs comporte
une piscine olympique ?

604

- ○ Six
- ○ Huit
- ○ Dix

Comment Ben Johnson a-t-il perdu sa
médaille aux jeux Olympiques de Séoul,
en 1988 ?

605

- ○ Il a triché
- ○ Il s'est dopé
- ○ Il a été gêné par un autre athlète

Dans quel pays le hockey a-t-il été
inventé ?

606

- ○ Aux États-Unis
- ○ En Russie
- ○ Au Canada

Combien de kilomètres compte un
marathon ?

607

- ○ Environ 40 km
- ○ Environ 42 km
- ○ Environ 44 km

Combien d'anneaux le drapeau
olympique compte-t-il ?

608

- ○ Quatre
- ○ Cinq
- ○ Six

Dans quelle catégorie Mohammed
Ali boxait-il ?

609

- ○ Les poids légers
- ○ Les poids moyens
- ○ Les poids lourds

SPORT ET JEUX

Comment appelle-t-on le stade de football (soccer) de Barcelone, en Espagne ? **610**

- ○ Wembley
- ○ Camp Nou
- ○ Parc des Princes

Qui a ouvert les jeux Olympiques de Berlin, en 1936 ? **611**

- ○ Hitler
- ○ Churchill
- ○ Staline

Quelle est la hauteur du filet en tennis de table ? **612**

- ○ Environ 10 cm
- ○ Environ 15 cm
- ○ Environ 20 cm

Dans quel sport utilise-t-on le terme « deuce » ? **613**

- ○ Le tennis
- ○ Le basket-ball
- ○ Le judo

Combien de boules rouges utilise-t-on dans une partie de snooker (billard) ? **614**

- ○ Dix
- ○ Quinze
- ○ Vingt

Combien de points marque-t-on lorsqu'on tire dans la rose, au tir à l'arc ? **615**

- ○ Dix
- ○ Quinze
- ○ Vingt

Combien de pays ont-ils pris part aux jeux Olympiques d'Athènes en 2004 ? **616**

- ○ 156
- ○ 183
- ○ 201

1. Les hippopotames bâillent lorsqu'on les approche.

2. Les dents acérées d'un requin sont ses armes les plus redoutables. Le requin perd ses dents en cas d'attaque, mais il en repousse toujours de nouvelles.

3. En hiver, lorsqu'on dit qu'il fait « un froid de canard », cela veut dire qu'il fait vraiment très froid dehors.

4. Les poissons trahissent leur humeur par leur couleur. Le passage d'une couleur à l'autre se fait en une fraction de seconde et est fonction de l'état d'humeur du poisson.

5. La licorne, ou cheval ailé, est le fruit de l'imagination de l'homme et se compose du corps d'un cheval, avec la tête ornée d'une corne. Elle a aussi une barbiche et des ailes.

6. Le vautour détient le record d'altitude : un jour, un vautour a heurté un avion à une altitude de 11 000 mètres.

7. Le python réticulé est le serpent le plus long du monde. Avec ses 10 mètres, il dépasse son cousin l'anaconda, qui est le plus gros serpent.

8. Tout comme tous les autres insectes, la fourmi possède six pattes (c'est-à-dire trois paires).

9. Les fourmis vivent en grands groupes, autrement dit, en société. Un nid peut contenir de quelques dizaines de fourmis à un million.

10. Le mammouth a disparu de la surface de la Terre il y a plusieurs milliers d'années.

11. Le cochon d'Inde doit utiliser ses dents, car elles grandissent en permanence. Si ce rongeur ne mordillait pas quelque chose pour les user, elles deviendraient bien trop longues.

12. L'ours n'a qu'un seul ennemi : l'homme. Celui-ci le chasse et le dérange en venant construire des routes sur son territoire.

13. Il y a encore des ours dans les Pyrénées françaises et en Europe de l'Est, mais ils se font très rares.

14. La chrysalide est une phase de la vie du papillon. Tout commence par l'œuf, qui s'ouvre et donne naissance à une larve. Celle-ci se modifie et se transforme en chrysalide. Ensuite, le papillon sort de son cocon et il prend son envol.

15. Les papillons vivent en moyenne entre 3 et 6 semaines.

16. Ils vivent en famille. Un groupe ne compte que peu d'éléphants. Un mâle dominant accompagne les femelles qui protègent et soignent leurs petits.

17. Dans le concours complet, les chevaux et les cavaliers prennent part à trois épreuves : d'abord une épreuve de dressage, ensuite une épreuve de fond (deux routiers, un steeple-chase et un cross) et finalement les sauts d'obstacles.

18. Un éthologiste ou éthologue est un scientifique spécialisé dans l'étude du comportement des animaux.

19. Notre capital génétique correspond à 98 % à celui du chimpanzé.

20. Le scorpion.

21. Le cheval a trois allures. Le pas est l'allure la plus lente. Au trot, le cheval se déplace à une vitesse moyenne, et c'est au galop qu'il va le plus vite. Le galop se fait en trois temps avec un mouvement de glissement.

22. Chez le chien, on parle de chien pour le mâle, de chienne pour la femelle, et de chiot pour le petit.

23. L'expression « chien qui aboie ne mord pas » signifie tout simplement qu'il ne faut pas avoir peur des gens qui crient.

24. Un colibri pèse 3 grammes et est souvent comparé à un insecte parce qu'il est petit et parce que ses ailes vibrent comme celles d'un insecte.

25. Un cheval utilise son corps pour communiquer. Lorsqu'il frappe le sol à coups de sabot, cela signifie qu'il est indisposé ou impatient.

26. Ses sabots se composent de deux orteils qui forment une pince. L'orteil antérieur est dur et lui permet de s'agripper aux rochers, et l'orteil postérieur est souple et élastique pour servir d'antidérapant.

27. La moule vit sur les rochers. Pour manger, la moule ouvre légèrement sa coquille et filtre l'eau.

28. Un synonyme de crevette bouquet est crevette rose.

29. Lorsqu'on met une étoile de mer sur son dos, elle utilise, sous ses branches, des petits tuyaux dotés de ventouses pour se redresser toute seule.

30. L'écureuil est un véritable casse-noisettes. Il ouvre une noisette en faisant un petit trou au sommet,

puis il introduit ses petites dents à l'intérieur et brise ainsi la coquille.

31. L'autruche est l'oiseau le plus grand et le plus lourd, et elle est dotée d'ailes aux plumes immenses. Malheureusement, elle ne peut pas voler.

32. « Pratiquer la politique de l'autruche » signifie rester aveugle face aux dangers qui menacent.

33. Le requin est apparu sur Terre il y a de 400 à 350 millions d'années, avant même les dinosaures.

34. Les grenouilles respirent de deux façons : par la peau et par les narines.

35. Un cachalot peut plonger durant une heure et demie à 3 000 mètres de profondeur pour aller chercher de la nourriture. Un phoque plonge 45 minutes et un dauphin ne reste qu'à peine 20 minutes en apnée.

36. Une souris peut déjà se reproduire à l'âge de deux mois. En un an, elle peut avoir plus de 1 000 descendants.

37. On dit que les pies sont bavardes, car le bruit qu'elles produisent en « jacassant » ressemble aux conversations criardes de certaines personnes.

38. Le tamanoir ou grand fourmilier est une espèce animale menacée qui vit dans les vastes forêts amazoniennes. Il passe sa vie à chercher des termites et des fourmis pour les aspirer.

39. Le fennec ou renard du désert vit dans le Sahara et au Moyen-Orient. Son territoire préféré se compose de sable fin, de petites dunes et de quelques buissons.

40. Le grand héron est un pêcheur-né. Ses ailes et son dos sont gris bleuté, sa tête et son cou sont blancs ; il a une longue aigrette noire et un bec jaune.

41. La tortue, le serpent et le crocodile sont des reptiles. Les reptiles sont des animaux vertébrés qui se déplacent en rampant et dont la peau porte des écailles.

42. Un jeune chien s'appelle un chiot.

43. Les hamsters amassent leur nourriture dans leurs bajoues.

44. Le martinet noir vole à la vitesse de 170 km/h et est ainsi le plus rapide des trois. Cependant, le faucon pèlerin est capable de plonger sur une proie à la vitesse de 400 km/h.

45. Le record d'âge est détenu par la tortue, qui peut vivre jusqu'à 150 ans.

46. Les chiens vivent en moyenne 15 ans.

47. Les crapauds et les grenouilles sont très proches. On peut facilement les distinguer par leur peau : elle est rugueuse et sèche chez le crapaud,

tandis que la grenouille a la peau lisse et humide.

48. Les lapins sont en permanence sur la défensive, et dès qu'ils entendent un bruit, ils s'enfuient. Ils ne peuvent pas courir très vite et doivent donc partir à temps. C'est par conséquent pour bien entendre qu'ils ont de si longues oreilles.

49. Un poisson-voilier (aussi appelé poisson cosmopolite) peut nager à la vitesse de 100 km/h. La plupart des sous-marins se déplacent à la vitesse de 65 km/h à peine.

50. Une autruche lancée à sa vitesse maximale peut dépasser un coureur cycliste. Pour échapper à ses préda-teurs, tel le lion, il est crucial pour l'autruche de pouvoir courir vite.

51. Le fonctionnement des organes de la souris ressemble beaucoup à celui de l'homme. Ainsi, on utilise la souris dans des laboratoires pour effectuer des tests.

52. Une mouche a les pattes recouver-tes de poils et, sous ces pattes, se trouvent deux griffes, qui sont elles-mêmes pourvues de petits coussinets adhésifs.

53. Les pattes d'une chauve-souris ne lui servent pas à courir. La chauve-souris ne peut se reposer qu'en se suspendant par les pattes.

54. Si le père est un âne et que la mère est une jument, on obtient un mulet. Il est aussi fort qu'un cheval, mais plus petit.

55. Lorsqu'un éléphant bat des oreilles, le sang afflue de son corps vers ses oreilles. De cette façon, il fait baisser sa température corporelle.

56. La baleine bleue est le plus grand ani-mal qui ait jamais vécu. Adulte, elle mesure environ 30 mètres de long.

57. Un lièvre peut atteindre une vitesse de plus de 70 km/h, et un cheval de course dépasse les 60 km/h.

58. Le ver de terre : il lui faut à peu près une heure pour parcourir de 15 à 20 mètres. La tortue géante a besoin de trois minutes.

59. Plus tes yeux sont grands, mieux tu vois. Si les hiboux ont de si grands yeux, c'est pour mieux voir la nuit.

60. C'est une sorte d'instrument de pi-lotage. Ils l'utilisent comme gouver-nail, pour déterminer leur direction de vol, et comme frein.

61. L'aigle est celui qui voit le mieux. L'acuité visuelle de l'aigle est deux fois supérieure à la nôtre.

62. Les chiens ont le nez très fin. Leur odorat est au moins quarante fois supérieur au nôtre.

63. Les chiens de prairie sont une espèce de rongeurs, qui vit en grands groupes. Ils creusent des cavités reliées entre elles par des tunnels. On dirait de véritables villes souterraines.

64. La femelle de l'éléphant. Elle porte son petit environ 22 mois dans son ventre.

65. Le koala. Il ne mange que les feuilles de 12 sortes d'eucalyptus et rien d'autre.

66. Le singe hurleur. Il crie pour défendre son territoire. Son cri peut être perçu jusqu'à 16 km à la ronde.

67. Complètement déployées, les ailes de l'albatros géant ont une envergure totale d'environ 3,5 mètres.

68. La langue. C'est un organe extrêmement sensible au goût, à l'odeur et au toucher. Il l'utilise pour trouver des proies ou un partenaire, détecter des dangers et suivre des pistes.

69. L'animal peut rentrer dans sa coquille comme il le veut, mais il ne peut la quitter. Donc, si tu trouves une coquille vide, cela veut dire que son occupant est mort.

70. L'éléphant a deux énormes défenses qu'il utilise surtout comme armes pour se défendre, comme le mot l'indique.

71. Oui. Les lièvres et les lapins mangent des plantes, ils digèrent la nourriture une première fois et l'éliminent sous forme de crottes molles. Ces crottes sont riches en vitamines et en protéines, et ils les remangent.

72. Les taupes ne sont pas adaptées à une vie au grand jour. Elles sont quasiment aveugles et leurs yeux ne sont pas plus grands que des têtes d'épingles.

73. Pour qu'il puisse voler, la température corporelle du papillon doit être d'environ 30 °C.

74. La pieuvre se défend en crachant de l'encre de façon à aveugler l'ennemi.

75. La chauve-souris possède l'ouïe la plus fine. Elle perçoit les ultrasons et peut même voler à l'aveugle sans heurter le moindre obstacle.

76. Certains animaux comme la coccinelle ont une couleur vive afin de signaler à leurs ennemis qu'ils sont dangereux ou non comestibles.

77. C'est le mâle qui possède une queue magnifique. Il la déploie lorsqu'il fait la cour à une femelle.

78. Darth Vader est un personnage fictif des trois premiers films de la série *La Guerre des étoiles (Star Wars).*

79. *The Jazz Singer* est un film qui est sorti en 1927 des studios de Warner Music, et il est le premier film sonore à avoir été projeté.

80. Un magnétoscope est un enregistreur vidéo, qui est devenu un produit grand public dans les années 1980.

81. Benoît XVI (né sous le nom de Joseph Alois Ratzinger, en Allemagne, le 16 avril 1927) est le 265e pape de l'Église catholique romaine.

82. Un instrument à vent de la famille des cuivres. Le tuba désigne une variété d'instruments qui sont les plus graves de cette famille.

83. Les Noirs africains qui étaient emmenés en Amérique comme esclaves ont également emporté leur musique traditionnelle. Après un certain temps, bon nombre d'entre eux furent vendus à la Nouvelle-Orléans.

84. John Joseph Travolta (né à Englewood, New Jersey, le 18 février 1954) est un comédien américain. Il est devenu célèbre grâce à ses rôles dans *La Fièvre du samedi soir* et *Grease*, à l'apogée de la période disco.

85. Grâce au prompteur, le texte apparaît sur un petit écran d'ordinateur juste en dessous de la lentille de la caméra.

86. Vers 1820. Le Français Nicéphore Niépce a pris la première photographie sur une feuille d'étain.

87. Pablo Ruiz Picasso, né le 25 octobre 1881, était un artiste peintre espagnol.

88. Le 15 décembre 1966. Walter Elias Disney était un réalisateur américain de dessins animés, et le père spirituel, entre autres, de Mickey Mouse et de Donald Duck.

89. Oliver Hardy était un comédien américain. Il est, entre autres, devenu célèbre pour son rôle de « gros » dans le duo Laurel et Hardy.

90. Le terme « stoupa » provient du sanscrit et décrit une construction bouddhiste que l'on retrouve dans toute l'Asie.

91. Le troll est une créature fantastique issue de l'Europe

du Nord, et plus précisément de Norvège. On trouve principalement des trolls dans les fables.

92. En Russie. La vodka est une boisson forte, incolore et inodore, d'origine russe ou polonaise.

93. Le dragon. La danse du dragon est une danse populaire très caractéristique et marquante de la culture chinoise.

94. Les Grecs. Le théâtre est un art où des personnes jouent une pièce devant un public. On y parle généralement sous la forme de dialogues ou de monologues.

95. La forme de la note. En musique, on désigne les notes par des symboles, comme la blanche, la noire, la croche, la double croche, etc.

96. Wolfgang Amadeus Mozart (27 janvier 1756 – 5 décembre 1791).

97. Quatre. John Lennon et Paul McCartney, deux de ses membres, comptent parmi les auteurs les plus importants de leur catégorie.

98. Le « libretto » (terme italien signifiant livret, et dont le pluriel est « libretti ») contient le texte utilisé dans une œuvre musicale.

99. Le xylophone est un instrument à percussion composé de deux rangées de lames, fixées à un cadre au moyen d'une corde tendue.

100. La toute première émission de radio eut lieu aux États-Unis en 1906.

101. Le terme « roman » désigne une grande diversité de textes de prose, généralement de fiction.

102. Les moines écrivaient des textes et des livres à la main et les traduisaient. La Bible est un livre qui a été souvent copié et traduit dans des ateliers de moines copistes.

103. Une encyclopédie est un recueil structuré, écrit, des connaissances humaines, souvent accompagné d'illustrations, d'enregistrements sonores ou de matériel vidéo.

104. De bois. Il est généralement blanchi par un processus de décoloration. Il peut être fabriqué à partir de matières premières naturelles, ou encore par recyclage de matières comme du vieux papier.

105. Un journaliste (terme dérivé du mot journal). On parle également de reporter.

106. Au 17e siècle. Les premiers journaux ont été publiés en 1615 en Allemagne.

107. *Titanic*. Il s'agit d'un film de James Cameron. Ce film, sorti en 1997, est basé sur l'histoire du célèbre bateau appelé *Titanic*.

108. Un chorégraphe est une personne qui conçoit une chorégraphie (enchaînements de pas et de figures).

109. La portée musicale se compose de cinq lignes horizontales parallèles placées à égale distance, sur lesquelles on peut noter de la musique.

110. Charles John Huffam Dickens (7 février 1812 – 9 juin 1870). Il fut le plus important écrivain britannique de l'époque victorienne.

111. Une valse célèbre de Johann Strauss fils est inspirée du Danube. Il s'agit du *Beau Danube bleu*.

112. L'alphabet arabe se compose de 28 lettres et s'écrit de droite à gauche, à l'exception des chiffres, qui se notent de gauche à droite.

113. L'avocat est un fruit vert, originaire d'Amérique centrale. Quand il est mûr, l'avocat est aussi doux et tendre que le beurre. Sa chair est très grasse.

114. La majorité de la population est chrétienne. Au sein du christianisme, l'Église protestante est la plus représentée. Environ 55 % des Américains sont protestants.

115. Un sauna est un espace dans lequel on augmente la température de sorte que le corps se mette à transpirer. Il s'agit d'un bain de vapeur.

116. Le flamenco est une musique et une danse émanant des Tziganes d'Andalousie, une région espagnole.

117. Au cinéma, une trilogie se compose de trois volets. Un exemple de trilogie célèbre est *Le Seigneur des anneaux*: *La Communauté de l'anneau* (2001), *Les Deux Tours* (2002) et *Le Retour du roi* (2003).

118. C'est Hamlet dans *Hamlet* qui est une tragédie écrite par William Shakespeare entre 1600 et 1602.

119. Elvis Aaron Presley (1935-1977) est considéré comme le pionnier du rock and roll.

120. *La Joconde* est une peinture à l'huile célèbre, réalisée par Léonard de Vinci. C'est un portrait de Monna Lisa (1479-1528).

121. Le dindon est un oiseau de la famille des gallinacés et est issu d'une espèce qui vit en Amérique du Nord.

122. De la Belgique. Cette série de bandes dessinées porte le nom de ses deux personnages principaux.

123. Obélix. *Astérix* est le titre d'une collection de bandes dessinées et Obélix est son inséparable ami.

124. L'hindouisme. C'est le nom collectif qui a été donné à diverses religions d'origine indienne.

125. La livre sterling est l'unité monétaire du Royaume-Uni. L'abréviation officielle est GBP (Great Britain Pound), mais on utilise aussi le symbole £.

126. La physique est la science de la matière. On dit aussi que la physique étudie la nature non vivante.

127. SOS est le signal d'urgence international pour la communication sans fil. En morse, on le représente comme ceci : ...- - -... La signification « Save Our Souls » (sauvez nos âmes) a été imaginée plus tard.

128. De Belgique. Tintin est le nom du héros (fictif) d'une collection de bandes dessinées, réalisée par le dessinateur belge Hergé (Georges Rémi).

129. À son talon. Ce héros grec était mortel, car il avait été rendu invincible, à l'exception d'une toute petite partie de son corps, son talon.

130. Dans les églises. L'une des formes de l'art du verre est le vitrail.

131. Le christianisme. Environ un tiers de la population mondiale est chrétienne, ce qui représente environ deux milliards de personnes.

132. Le Louvre est situé à Paris. Le tableau le plus célèbre qui y est exposé est sans conteste *La Joconde*, de Léonard de Vinci.

133. Un théâtre est un bâtiment qui est équipé de tous les dispositifs techniques permettant de présenter au public des représentations.

134. Le terme grec « biblion » (petit livre) et le mot latin « biblia » (livres) indiquent qu'une bibliothèque est un endroit où un certain nombre de collections de livres peuvent être conservées.

135. Un laboratoire est l'endroit idéal pour effectuer des tests.

136. Les premières images télévisées étaient en noir et blanc. La télévision couleur a été développée à partir de 1953 aux États-Unis.

137. Alfred Hitchcock. Ses films mettent souvent en scène des personnages innocents qui se retrouvent dans des situations sur lesquelles ils n'ont aucune influence.

138. Les James Bond. Ian Fleming écrivait des histoires d'espionnage. La première aventure de James Bond, *Casino Royale*, est sortie en 1953.

139. Un instrument à cordes pincées. Il fait partie des instruments à cordes qu'on fait vibrer avec avec les doigts ou avec un morceau de plastique.

140. Le traîneau du père Noël est tiré par ses rennes.

141. La Nouvelle-Zélande était l'endroit idéal pour ce film. Il se déroule dans le pays imaginaire de la Terre du Milieu.

142. Depuis le 1er janvier 2002, la monnaie nationale des 12 pays de la zone euro qui participent au programme a été remplacée par des pièces et des billets en euros.

143. La Maison-Blanche est la résidence officielle du président des États-Unis.

144. Aux États-Unis. Dans environ trois quarts des pays du monde, on roule du côté droit de la route.

145. Le champagne est un vin blanc mousseux, qui est produit dans la région du même nom en France.

146. Walt Disney. Matt Groening est le père spirituel des Simpsons. William Hanna et Joseph Barbera ont, quant à eux, donné naissance à Tom et Jerry.

147. Le 28 décembre 1895, les frères Lumière ont projeté pour la première fois devant public leur film intitulé *La Sortie des usines Lumière*.

148. Charlie Chaplin. Il a vécu de 1889 à 1977. Il s'inpirait des pauvres gens des rues de Londres, où il avait lui-même vécu enfant.

149. William Shakespeare (décédé le 23 avril 1616) est considéré par beaucoup comme le meilleur dramaturge que l'Angleterre ait jamais produit.

150. Le stradivarius est considéré comme le meilleur violon qui existe. Il fut conçu au 18e siècle par l'Italien Antonio Stradivari.

151. Sa surdité. Ludwig van Beethoven est né en 1770 et est décédé en 1827. À partir de 1796, il devint progressivement sourd.

152. Le violoncelle mesure environ 120 cm de long. Il comporte quatre cordes et deux trous en forme de « f ».

153. *Blanche-Neige* est un conte imaginé par les frères Grimm. Walt Disney a réalisé le 21 décembre 1937 le dessin animé *Blanche-Neige et les Sept Nains*.

154. D'Argentine. Cette danse y a vu le jour il y a environ 200 ans.

155. Le shérif dont parle Bob Marley dans sa chanson s'appelle John Brown.

156. Ludwig van Beethoven a écrit l'opéra *Fidelio*. C'était un compositeur allemand, né à Bonn en 1770. Beethoven était sourd.

157. « Since 1916 ». Dans cette chanson, The Cranberries parlent de la lutte qui oppose les catholiques et les protestants en Irlande du Nord.

158. Dans « the government yard », les hypocrites sont espionnés.

159. Le chasseur devait tuer Blanche-Neige.

160. La langue pendante est le logo des Rolling Stones, et elle a été conçue par le dessinateur Andy Warhol.

161. Madonna. Elle a été éduquée de façon très stricte par son père. Sa mère est décédée alors que Madonna était encore une fillette.

162. Les Red Hot Chili Peppers. Le festival de Woodstock a eu lieu pour la première fois en 1969, mais à l'époque, le groupe rock Red Hot Chili Peppers n'existait pas encore.

163. Quentin Tarantino est un réalisateur américain qui est également acteur. Dans son film *Reservoir Dogs*, on le voit jouer un petit rôle. Son film *Pulp Fiction* lui a permis de rempor-

ter la palme d'or du meilleur film à Cannes, en 1994.

164. Pour arriver au pays imaginaire (Neverland, en anglais), il suffit de voler et d'y croire.

165. Le récit écrit en 1831 par Victor Hugo est *Le Bossu de Notre-Dame*. Notre-Dame est la plus grande (et la plus célèbre) église de Paris.

166. Bono était champion d'échecs dans la catégorie juniors.

167. Robin des Bois vivait dans une forêt proche de Nottingham. C'était un héros anglais, qui volait aux riches pour redistribuer aux pauvres.

168. L'ami de Tarzan s'appelle Tantor.

169. Debbie Harry chante dans le groupe Blondie. Elle ne fait pas que chanter, elle joue également dans des films tels que *Ma vie sans moi (My Life without Me)* et *Videodrome*.

170. Nemo se trouve à l'adresse Wallaby Way, à Sydney, en Australie.

171. Superman est journaliste dans la vie de tous les jours. Il est né sur la planète Krypton, sous le nom de Kal-El. Juste avant l'explosion de cette planète, son père l'a envoyé dans l'espace à bord d'un vaisseau spatial pour le sauver.

172. C'est le CD qui a le plus grand trou, mais le disque en vinyle 33 tours existait avant lui.

173. Bianca est la petite souris du film de Disney *Bernard et Bianca*. Avec son ami Bernard, elle doit sauver une petite fille qui est prisonnière d'une dame maléfique.

174. *Willy, le bateau à vapeur (Steamboat Willy)* ne fut pas seulement le premier film faisant apparaître Mickey Mouse, ce fut également la première bande dessinée sonore. Elle est sortie en 1928.

175. Les oreilles de Dumbo ont été assurées pour un million.

176. Whitney Houston a vendu le plus de CD. Sa chanson la plus connue est « I Will Always Love You », issue du film *Le Garde du corps (The Bodyguard)*, dans lequel elle a joué.

177. Spock est le meilleur ami du Capitaine Kirk dans *Star Trek*. *Star Trek* est une histoire qui se déroule dans le futur, trois cents ans après notre époque.

178. C'est Mary Poppins. Dans le film *Mary Poppins*, elle est la nounou des enfants de George W. Banks.

179. Le film est inspiré *d'Oliver Twist,* de Charles Dickens. Oliver Twist est un pauvre petit garçon qui n'a plus de famille, tout comme le petit chat Oliver dans le film de Walt Disney.

180. La musique country et la musique western sont des genres très populaires aux États-Unis. Autrefois, cette musique était souvent jouée par des cowboys.

181. Prince est un musicien qui se surnomme lui-même Victor. Il compose également des chansons pour d'autres chanteurs et chanteuses.

182. Dans un quatuor, il y a quatre musiciens. Ce terme provient du latin.

183. Le rap n'existait pas encore au temps d'Elvis Presley. Ce style

musical n'est apparu qu'au début des années 1980.

184. Il s'agit de la musique punk.

185. Ray Charles.

186. Le piano. Il s'agit d'un genre proche du rock and roll et sur lequel on danse. Ce style musical était très connu dans les années 1950.

187. Un saxophone n'est jamais en bois. Le saxophone appartient à la famille des instruments à vent.

188. À Nelson Mandela. Nelson Mandela s'est insurgé contre la ségrégation raciale en Afrique du Sud et a été emprisonné durant 27 ans pour cela.

189. Bob Geldof. Les concerts du Live Aid se déroulent à plusieurs endroits dans le monde, au même moment. L'argent qu'on collecte grâce à ces concerts est utilisé pour aider les pauvres d'Afrique.

190. Dans le film *La Guerre des étoiles* : *La Revanche des Sith*, Anakin Skywalker devient Darth Vader.

191. Stevie Wonder est aveugle. Il joue de la batterie, du piano et de l'harmonica.

192. John Lennon a été assassiné le 8 décembre 1980 devant son domicile de New York par Mark David Chapman. Il avait fait partie des Beatles.

193. On tapait sur des fûts métalliques faits à partir de bidons d'essence.

194. Nirvana faisait de la musique grunge. Ce groupe était très populaire à la fin des années 1980 et au début des années 1990.

195. Michael Jackson n'est pas un compositeur, mais un chanteur de musique pop très connu. Son plus grand succès a été « Thriller ».

196. Un hautbois est fabriqué en bois, d'où son nom.

197. Jim Morrison était un chanteur de rock connu, qui est décédé en 1970, à Paris. Il y a été inhumé.

198. Lorsqu'on parle vite au rythme de la musique, on fait du rap. Le rap est né vers la fin des années 1970, début des années 1980, alors que les Noirs américains exprimaient leurs sentiments au rythme de la musique disco.

199. Le petit chat roux s'appelle Toulouse, le blanc Marie et le gris Berlioz.

200. Winnie l'Ourson est le grand ami de Tigrou, Porcinet et Coco Lapin. Petit Jean et Robin des Bois sont de grands copains dans les histoires de Robin des Bois.

201. Madonna chante depuis plus de vingt ans ; elle a sorti des hits si nombreux qu'on la surnomme la « Reine de la musique pop ».

202. Eric Clapton jouait dans les Yard-birds avant de commencer une carrière en solo.

203. Britney Spears a participé au film *À la croisée des chemins*, qui est sorti dans les salles en 2002.

204. Cher se produisait autrefois avec Sonny. Ils étaient mariés et ont eu un enfant, mais au bout de quelques années, ils se sont séparés et ne chantent plus ensemble.

205. *La Belle et la Bête*. Belle se retrouve dans un château où la Bête la retient prisonnière. Elle finit par en tomber amoureuse.

206. Dans un opéra chanteurs et chanteuses ont une voix très belle et très puissante.

207. Une petite flûte traversière se nomme un piccolo. Lorsqu'on souffle très fort, elle produit des sons très aigus qui ne peuvent pas être produits par une flûte traversière ordinaire en raison de sa longueur.

208. Le chef d'orchestre est un homme qui bat la mesure pour l'orchestre.

209. Le canon. Une personne commence, et ensuite, la deuxième personne ou le deuxième groupe se met à chanter, et ainsi de suite.

210. Les Beatles chantaient l'histoire d'un homme qui parlait du sous-ma-rin jaune (*Yellow Submarine*) dans lequel il parcourait les mers.

211. La Belle au bois dormant se piqua à l'aiguille d'un rouet et dormit cent ans. Elle fut réveillée par le doux baiser d'un prince charmant.

212. Ces petits mots sont en italien. Par exemple : « allegro » (ce qui signifie qu'il faut jouer de façon dynamique).

213. Le réalisateur est le chef d'équipe du tournage : il dit où doit se trouver la caméra, et il donne aux acteurs des informations au sujet de leur rôle.

214. On appelle cette prise de vue la plongée, parce qu'elle donne au spectateur l'impression que la caméra plonge sur la scène.

215. Un film de science-fiction traite de voyages dans l'espace et est toujours basé sur l'imaginaire. La série la plus célèbre est *La Guerre des étoiles (Star Wars)*.

216. Madonna chante ces trois succès.

217. Cet instrument s'appelle la flûte de Pan. Ce sont surtout les peuples des Andes, en Amérique du Sud, qui en jouent.

218. Les films de la série *La Guerre des étoiles (Star Wars)* sont les films de science-fiction les plus célèbres

réalisés. La première partie de la première trilogie est sortie en 1977.

219. Le meilleur ami de Bob l'Éponge est Patrick, l'étoile de mer. Octo est la pieuvre qui travaille avec Bob l'Éponge au restaurant « Au crabe croustillant ».

220. Une flûte traversière se prend du côté droit.

221. L'orgue est un instrument typique de ces lieux de culte.

222. Une œuvre musicale s'appelle un *opus*. La plupart des compositeurs y ajoutent un numéro pour identifier leurs différents opus. Opus signifie « travail » en latin.

223. Cette note est une croche, et elle compte pour un demi-temps. Deux croches ensemble constituent donc un temps d'une mesure.

224. E.T. est l'extraterrestre qui s'est échappé d'un OVNI et qui fait connaissance sur Terre avec un petit garçon dont il devient un très bon copain.

225. Cette musique s'appelle le gospel. Ses textes sont basés sur la Bible, et cette musique a pris naissance à la suite de réactions spontanées durant le service religieux.

226. Les Écossais utilisaient la cornemuse lorsqu'ils partaient à la guerre.

Cet instrument émet un son tellement fort et tellement strident qu'il faisait fuir les ennemis.

227. Ludwig van Beethoven. Il entendait la musique dans sa tête telle que les musiciens devaient l'interpréter.

228. Les Indestructibles ne peuvent révéler au monde qu'ils sont des superhéros.

229. La capitale de l'industrie cinématographique de l'Inde est Mumbai, qu'on a surnommée « Bollywood ». Ce nom a été calqué sur Hollywood, aux États-Unis.

230. En compagnie de son père, Jane est allée dans la jungle où vivait Tarzan et elle est immédiatement tombée amoureuse de lui.

231. Clochette est la petite fée qui fait en sorte qu'on puisse voler grâce à la poudre magique.

232. Le Canada. Aussi connu comme « The Maple Leaf Flag » (le drapeau à la feuille d'érable). L'érable ferait référence à la nature canadienne et aux couleurs britanniques.

233. L'espagnol. 90 % de la population a l'espagnol pour langue maternelle et 10 % ont un dialecte indien.

234. Les Maoris. Ils sont arrivés vers l'an 950 après Jésus-Christ, en provenance de la Polynésie (archipel situé dans l'océan Pacifique).

235. En Afrique. Selon les chiffres, on estime que 2/3 des personnes infectées par le sida, vivent en Afrique subsaharienne.

236. Le lac Titicaca. Il est situé dans les Andes, entre le Pérou et la Bolivie, à une altitude de 3 812 mètres, ce qui en fait également le lac admis à la navigation le plus haut du monde.

237. Le triangle des Bermudes est un triangle imaginaire entre la Floride, l'archipel des Bermudes et l'île de Porto Rico.

238. L'Égypte, officiellement la République arabe d'Égypte, est un grand État du nord-est de l'Afrique.

239. New York est la plus grande ville des États-Unis d'Amérique.

240. Un pont. Le Sund est le détroit qui relie le Kattegat (et à travers lui, la mer du Nord à la mer Baltique) et qui sépare l'île danoise de Sjaelland de la province suédoise de Scanie.

241. L'Écosse fait partie du Royaume-Uni. C'est un pays du nord-ouest de l'Europe et la région la plus au nord de la Grande-Bretagne.

242. L'Indonésie est un grand archipel constitué d'environ 17 000 îles situées entre l'Asie du Sud-Est et l'Australie. Sa superficie atteint 1 919 440 km².

243. Rotterdam.

244. Paris.

245. Les Cherokees, groupe ethnique d'indigènes américains composé d'environ 250 000 personnes.

246. Le Nil. Il est long de 6 695 km et, dès lors, est le plus long fleuve du monde.

247. Les Andes. Ce grand massif montagneux d'Amérique du Sud longe la côte occidentale du continent sud-américain.

248. La Terre tourne autour du Soleil suivant une trajectoire elliptique. Un tour dure environ 365,24 jours.

249. La Terre est apparue il y a environ 4,57 milliards d'années. La planète a une lune naturelle, la Lune.

250. Deux, le pôle Nord et le pôle Sud.

En astronomie, les pôles d'un corps céleste (tel qu'une étoile, une planète ou une lune) sont les deux points extrêmes de l'axe de rotation de l'astre.

251. Pluton. La planète a une température moyenne de 44 degrés Kelvin ou -229 degrés Celsius.

252. La Grande Ourse est une constellation de l'hémisphère Nord. Le surnom de cette constellation est « la casserole ».

253. Beijing est le nom chinois de Pékin, la capitale de la Chine. Après Shanghai, Pékin est la plus grande ville de la République.

254. Hollywood est un district de Los Angeles, Californie, États-Unis.

255. Vénus. La température moyenne sur la planète atteint 737 degrés Kelvin ou 464 degrés Celsius.

256. Les ouragans prennent naissance au-dessus de la mer, lorsque l'eau est suffisamment chaude, en raison du fait que des courants d'air relativement froids entrent en contact avec le courant d'air chaud, sur l'équateur. Une fois sur des terres, leur force diminue rapidement.

257. Par l"échelle de Beaufort. Le tableau fut créé en 1805 par Sir Francis Beaufort. Il établit une classification de la force des vents en 13 degrés.

258. Niagara est une ville de la province de l'Ontario, au Canada. Le Canada se situe sur le continent américain.

259. De l'eau douce. C'est une eau qui contient de très faibles quantités de sel et qui est traitée pour qu'on puisse la boire sans danger.

260. Dans l'océan Atlantique, au Brésil. L'Amazone est l'un des fleuves les plus longs du monde et, de loin, le plus riche en eau. Il a une longueur totale de 6 516 km et prend sa source au Pérou.

261. Le drapeau italien. Il a les couleurs suivantes : vert, blanc et rouge.

262. La Floride est située dans le sud-est du pays. Elle jouit d'un climat subtropical. Son nom est dérivé de « la florida », (mot espagnol signifiant « la fleurie »).

263. Sacramento est la capitale de l'État américain de Californie.

264. Gibraltar est un territoire d'outre-mer appartenant au Royaume-Uni qui se situe à l'extrême sud de l'Espagne.

265. L'Asie. Les régions tropicales connaissent une saison sèche et une saison des pluies. La saison humide est appelée mousson, dérivée du mot « mausim » (saison).

266. Ayers Rock, appelé Uluru par les Aborigènes, est un rocher monolithique gigantesque qui se trouve en Australie centrale, une région au sol rouge.

267. Sydney. La ville compte environ 4 395 000 habitants, Melbourne en compte 3 730 000 et Adélaïde 1 074 000.

268. Il a douze étoiles parce que ce nombre est, traditionnellement, un symbole de perfection, de plénitude et d'unité.

269. À Billund, au Danemark. Il fut ouvert en 1968. Ce parc à thèmes consiste en un monde miniature entièrement construit en briques lego.

270. La Provence est une région du sud-est de la France. Elle s'étend entre la mer Méditerranée, la vallée du Rhône et l'Italie.

271. Les Pyrénées, massif montagneux situé à la frontière entre l'Espagne et la France. Le sommet le plus élevé est le pic d'Aneto (3 404 mètres).

272. À Taïwan. La Taipei 101 Tower est actuellement le plus haut bâtiment du monde. Cette tour gigantesque de 508 mètres de haut se trouve dans la capitale, Taipei.

273. Jupiter a un diamètre équatorial de 143 800 km. La Terre a un diamètre équatorial de 12 756 km. Saturne a un diamètre équatorial de 120 660 km.

274. Aux États-Unis. Le Grand Canyon est une crevasse très large et très profonde située dans l'État de l'Arizona. Le canyon a une longueur d'environ 450 km et sa largeur maximale est de 15 km.

275. L'État de la Cité du Vatican se trouve à Rome et a une superficie de 0,44 m². Monaco a une superficie de 1,9 km². Le Liechtenstein occupe une superficie de 160 km².

276. Un atoll est une île en forme d'anneau. Les atolls se trouvent principalement dans l'océan Pacifique. Ils sont en majeure partie composés de coraux et d'un lac central.

277. Bratislava. Cette ville est située dans le sud-ouest du pays, sur le Danube, et compte environ 430 000 habitants.

278. Le plus haut sommet des Alpes est le mont Blanc, qui culmine à 4 808 mètres. Les Alpes s'étendent sur plusieurs pays : la France, l'Allemagne, l'Autriche, la Suisse, l'Italie et la Slovénie (superficie : 200 000 km²).

279. L'étoile Polaire ne bouge quasiment pas, de sorte qu'on la retrouve toujours à la même place dans le ciel, au nord.

280. Les États-Unis d'Amérique avaient 13 États lors de l'indépendance. Actuel-

lement, il y a 50 États et un district, à savoir Washington D.C.

281. 1,3 milliard de personnes parlent le chinois, 400 millions parlent l'anglais, et 80 millions le français.

282. Les Pays-Bas. Les pays voisins de la France sont la Belgique, le Luxembourg, l'Allemagne, la Suisse, l'Italie, Monaco, l'Espagne et Andorre.

283. L'Arabie Saoudite. La Mecque, capitale religieuse de l'islam, compte environ 1 300 000 habitants.

284. Le magma est la roche en fusion qui se trouve dans ou sous un volcan. La différence avec la lave est que cette dernière se trouve en surface.

285. Certains spécialistes en géographie appellent l'Antarctique le 6e continent, parce qu'il s'agit en réalité d'une terre, certes congelée.

286. Le Sahara est le plus grand désert du monde et il est situé en Afrique du Nord. Ce désert a une superficie de 9 millions de km².

287. Le K2 est une montagne située dans la chaîne de l'Himalaya, près de la frontière entre le Pakistan et la Chine. Il culmine à 8 611 mètres. Le Mont Everest fait 8 850 mètres de haut.

288. Ce sont toutes des villes-États ou des pays qui ne se composent que d'une seule ville.

289. La Laponie est située si près des régions polaires qu'en hiver, le soleil ne s'y lève jamais. Durant les mois d'été, plus particulièrement en juin et juillet lors du soleil de minuit, le soleil brille pendant 24 heures.

290. Il y a environ 200 pays indépendants dans le monde. Ce chiffre ne cesse d'augmenter.

291. En Afrique du Sud. Le 6 avril 1652, les Néerlandais ont établi un comptoir commercial au cap de Bonne-Espérance. La colonie néerlandaise s'est ensuite étendue durant le 17e et le 18e siècle.

292. La Terre a une seule Lune naturelle. Saturne en a 18.

293. Le lac Victoria est le plus grand lac d'Afrique. Il se trouve en Afrique orientale entre la Tanzanie, l'Ouganda et le Kenya. Avec une superficie de 69 484 km², il est environ aussi grand que l'Irlande.

294. 24 heures. Une journée est déterminée par la durée d'une rotation de la Terre sur elle-même, soit exactement de 23 heures et 56 minutes.

295. La Sibérie est le nom de la partie de la Russie qui est située en Asie. Elle a une superficie d'environ 10 000 000 km².

296. La planète bleue. La Terre est unique dans notre système solaire, non seulement parce qu'il y a de la vie, mais également parce qu'elle est la seule planète où l'eau se présente sous forme liquide (la Terre est constituée à 70 % d'eau).

297. La Volga est le plus long fleuve d'Europe. Elle coule en Russie sur 3 690 km et débouche dans la mer Caspienne.

298. Le canal de Suez fait 163 km de long. Selon les estimations, 1,5 million d'ouvriers égyptiens ont participé à sa construction (125 000 ont péri durant les travaux). Le premier bateau a emprunté ce canal le 17 février 1867.

299. L'Alaska est le plus grand des 50 États américains. Il compte environ 600 000 habitants.

300. Mexico abrite 25 millions d'habitants, Pékin 15 millions et Washington 4,7 millions.

301. Pluton est, vu du Soleil, la neuvième planète de notre système solaire. Sa distance par rapport au Soleil est de 39,4 UA (1 UA = une unité astronomique = 150 millions de km).

302. Au Danemark. Le Groenland est la plus grande île du monde et se trouve dans le nord de l'océan Atlantique.

303. La fosse des Mariannes, longue de 2 550 km, est située dans l'océan Pacifique Nord, à proximité de l'archipel des Mariannes. Sa profondeur atteint 11 033 m.

304. 25 pays. Ces pays sont la Belgique, les Pays-Bas, le Luxembourg, la Grande-Bretagne, l'Irlande, le Danemark, la Suède, la Finlande, l'Allemagne, la France, l'Espagne, le Portugal, l'Italie, l'Autriche, la Slovénie, la Hongrie, la Pologne, la République tchèque, la Slovaquie, Malte, l'Estonie, la Lettonie, la Lituanie, Chypre et la Grèce.

305. Une ligne artificielle sur une carte. Un méridien est une ligne droite sur la surface terrestre, entre le pôle Nord et le pôle Sud. Cette ligne forme donc la moitié d'un grand cercle.

306. Londres. La Tamise est le plus grand fleuve d'Angleterre et une importante voie navigable. Elle débouche dans la mer du Nord.

307. La force d'attraction de la Lune joue un rôle important dans le phénomène des marées.

308. La Belgique a 336 habitants par km², la Chine 133 et Singapour 7 034.

309. Un tsar. Le mot tsar vient du latin « caesar », signifiant empereur.

310. Le pape règne depuis le Saint-Siège ; il siège au Vatican, qui est une enclave dans la ville de Rome.

311. Un évêque est un prêtre qui, le plus souvent, se trouve à la tête d'un évêché ou diocèse.

312. Vénus, la déesse romaine de l'amour, à l'origine une déesse de la végétation de l'Italie antique, fut plus tard confondue avec la déesse grecque Aphrodite.

313. Le Nil, long de 6 695 km, est le plus long fleuve d'Afrique et du monde.

314. La République démocratique allemande (RDA) ou, en allemand, « die Deutsche Demokratische Republik » (DDR). La RDA cessa d'exister le 3 octobre 1990.

315. Les Palestiniens.

316. Elizabeth Alexandra Mary Windsor est depuis 1952 la reine du Royaume-Uni et chef d'État de divers pays du Commonwealth britannique.

317. Buckingham Palace est la résidence officielle de la couronne britannique à Londres.

318. En 334 avant Jésus-Christ, Alexandre le Grand entama sa fameuse campagne militaire contre la Perse. Il se rendit maître de la Perse, qui dominait alors un énorme territoire comprenant l'Iran, l'Irak, la Syrie et la Turquie d'aujourd'hui.

319. Amerigo Vespucci était un navigateur italien qui explora des parties du continent américain au service de l'Espagne et du Portugal. C'est ainsi que son nom fut donné au continent.

320. Il fut décapité le 21 janvier 1793 sur la place de la Révolution (aujourd'hui place de la Concorde).

321. Le numéro 1 des personnes recherchées était Saddam Hussein.

322. Moïse reçut de Dieu, au sommet du mont Sinaï, les deux tablettes de pierre contenant les 120 mots hébreux qui forment les Dix commandements.

323. À Jérusalem. Avant d'être crucifié, vers l'an 33 de notre ère, Jésus réunit ses disciples pour célébrer la pâque juive. Ce repas fut appelé la dernière cène.

324. Dans son bunker. Le 20 avril 1945, il fêtait son 56e anniversaire. Le 30 avril 1945, il se donna la mort, dans son bunker souterrain de Berlin.

325. La France. La statue de la Liberté représente un symbole de bienvenue pour chacun et c'est un cadeau, en l'honneur du centenaire de la déclaration de l'Indépendance et un témoignage d'amitié.

326. Romulus et Remus ont, selon la mythologie romaine, fondé Rome le 21 avril 753 avant Jésus-Christ.

327. Dans l'actuel Irak où se trouve la ville de Babylone.

328. Le pharaon Akhenaton. Il instaura une religion monothéiste dont le dieu unique était Aton, le disque solaire.

329. Il y a environ 3 000 ans, selon la légende, par les jumeaux Romulus et Remus, le 21 avril 753 avant Jésus-Christ.

330. 1500 est la dernière année du 15e siècle. 1501 est la première année du 16e siècle.

331. Une décennie est une période de dix ans.

332. Ivan IV dit le Terrible (25 août 1530 – 18 mars 1584) fut le premier tsar de toutes les Russies et grand prince de Moscou.

333. La porcelaine est apparue pour la première fois en Chine et elle en fut ramenée par les explorateurs en Europe où elle devint très populaire.

334. Une villa est, de nos jours, le nom donné à une luxueuse habitation individuelle. Le nom est tiré de la villa romaine.

335. Johannes Gutenberg (environ 1394 – 1468). Son édition la plus connue est la Bible de Gutenberg, en latin, achevée en 1455.

336. 14 ans. Romulus Auguste fut le dernier empereur de l'empire romain d'Occident. En raison de son jeune âge, il reçut le surnom d'Augustule, un diminutif péjoratif qui signifie « petit empereur ».

337. Mao Zedong était un homme politique et chef du Parti communiste chinois. Avec son *Petit Livre rouge*, il fut, durant des décennies, la figure emblématique de la République populaire de Chine.

338. Sous la nef centrale de la basilique Saint-Pierre, à Rome, se trouve la crypte où 148 papes décédés sont inhumés. La tombe de Pierre se trouve à droite, sous l'autel pontifical.

339. Le 7e siècle avant Jésus-Christ va de l'an 700 à l'an 601 avant Jésus-Christ. Donc, l'an 600 est la dernière année du 6e siècle avant Jésus-Christ.

340. Un millénaire est une période de 1 000 ans.

341. D'Europe. Les Vikings découvrirent le Groenland, Marco Polo entreprit son voyage vers la Chine et les navigateurs portugais établirent la route des Indes en contournant l'Afrique. Et il y a la découverte de l'Amérique par Christophe Colomb en 1492.

342. Les gladiateurs étaient des lutteurs professionnels dans l'empire romain.

343. Une colonie est une partie d'un territoire en dehors du pays d'origine, le plus souvent outre-mer.

344. En Occident, les enluminures étaient généralement constituées de lettrines au début des textes pour les enjoliver ou encore d'ornements. Le terme miniature est aussi souvent utilisé en ce sens.

345. Le *Titanic*. Le paquebot était le deuxième d'un trio de grands navires de luxe. Pendant son premier voyage, en 1912, le navire a sombré.

346. La fusée. Le V1 était la première version d'un missile de croisière. C'était une arme allemande dotée d'une charge explosive.

347. De nombreux historiens sont arrivés à la conclusion que l'année 6 avant notre ère est l'année la plus probable de la naissance de Jésus.

348. Le messager grec, Phidippidès courut de Marathon à Athènes pour rapporter la victoire des Athéniens sur les Perses.

349. Lucy a été découverte en Éthiopie. Elle a vécu il y a environ 3,5 millions d'années.

350. Fernand de Magellan est parti d'Espagne en 1519. En chemin, il a été assassiné, et c'est Juan Sebastián Elcano qui a continué le voyage.

351. Persépolis. La ville abritait un palais où les rois de Perse recevaient des hôtes étrangers. Les Grecs la détruisirent en 330 avant Jésus-Christ.

352. Les Chinois. La poudre à canon est la matière explosive la plus ancienne qu'on connaisse. Elle était déjà utilisée en Chine dès le 10e siècle.

353. Caligula fut réputé comme étant l'un des empereurs les plus déséquilibrés de l'empire romain. Pour témoigner son mépris à la noblesse romaine, il fit nommer son cheval consul.

354. Homo sapiens vient du latin et signifie « l'homme qui sait ».

355. Tenochtitlán était, au 16e siècle, la capitale du royaume des Aztèques et comptait 235 000 habitants.

356. Les Mésopotamiens construisaient des pyramides appelées ziggourats. On raconte que la tour de Babel était, en fait, une ziggourat.

357. La tête de ses amants. Catherine la Grande fut impératrice de Russie de 1762 à 1796. Durant sa vie, ses amants se succédèrent à une cadence effrénée.

358. Par ces termes, le roi de France, Louis XIV, voulait souligner clairement qu'il détenait à lui seul tout le pouvoir du royaume.

359. En 399 avant Jésus-Christ, Socrate fut condamné à mort, accusé notamment d'avoir détourné des jeunes du droit chemin. Il choisit de boire la ciguë, un poison mortel.

360. Excalibur était l'épée magique du roi Arthur.

361. Poséidon. Il est considéré comme l'un des dieux les plus adorés des anciens Grecs, au même titre que Zeus et Héra.

362. 6 300 kilomètres. À partir d'environ 200 avant Jésus-Christ, on commença la construction du mur.

363. Un tribunal religieux condamna Galilée à être en résidence surveillée pour le restant de ses jours (de 1633 à 1642). Il devint néanmoins le fondateur de l'astronomie moderne.

364. George Washington devint, en 1789, le premier président des États-Unis d'Amérique.

365. C'était un enfant. À l'âge de trois ans, Aisin-Gioro Puyi monta sur le trône de Chine, en 1908.

366. Les puces. Le rat était l'un des principaux porteurs du bacille de la peste.

367. Les aqueducs fournissaient de l'eau potable aux grandes villes romaines. Certains pouvaient transporter environ 190 000 m³ d'eau par jour.

368. L'empire de Charles Quint. En gros, cet empire couvrait le territoire occupé par les Pays-Bas, l'Espagne, l'Autriche, la République tchèque, l'Italie et des colonies d'outre-mer en Amérique du Sud et en Asie.

369. Pierre. Il était l'un des douze apôtres de Jésus. Il devint évêque d'Antioche et, plus tard, évêque de Rome. L'évêque de Rome est également automatiquement le pape de l'Église catholique.

370. Adolf Hitler est né le 20 avril 1889 à Braunau am Inn, ville située dans l'ancienne Autriche-Hongrie.

371. Byzance. Cette ville fut fondée par les Grecs en 667 avant Jésus-Christ. En 330, l'empereur romain Constantin rebaptisa cette ville du nom de Constantinople. En 1930, son nom officiel devint Istanbul.

372. Canaan. Ce nom apparaît pour la première fois dans les textes égyptiens du 16ᵉ siècle avant Jésus-Christ. C'est aujourd'hui Israël.

373. En 1963, les Allemands de l'Est décidè-

rent de construire un mur à Berlin. Le but était d'empêcher les Allemands de l'Est de s'enfuir vers Berlin-Ouest.

374. Ponce Pilate gouvernait la province romaine de Judée à l'époque de Jésus. Bien qu'il ne fût pas convaincu de la culpabilité de Jésus, il le fit crucifier sous la pression des dirigeants juifs.

375. À Athènes. Les jeux Olympiques d'été de 1896 furent les premiers jeux Olympiques modernes. Ils furent organisés à l'initiative du baron Pierre de Coubertin. 14 pays y participèrent.

376. Les Sumériens. Ils vécurent à partir de 3800 avant Jésus-Christ dans le royaume de Sumer, un territoire situé dans l'Irak actuel.

377. Tumulus est l'appellation romaine pour une colline funéraire. Pendant l'Antiquité, les morts y trouvaient une sépulture.

378. La Révolution française commença le 14 juillet 1789. Le roi de France fut décapité et la France cessa d'être un royaume.

379. Un archéologue est un spécialiste de l'Antiquité qui, en étudiant les vestiges du passé, veut en savoir davantage sur les cultures anciennes.

380. Les Philistins. Il s'agissait d'un peuple de marins qui s'établit vers 1200 avant Jésus-Christ sur les côtes de l'Israël actuel.

381. Chez les Romains, Jupiter était non seulement le dieu suprême, mais également le dieu du ciel et du tonnerre.

382. John F. Kennedy. Le 22 novembre 1963, il fut assassiné durant sa visite à la ville de Dallas. Lee Harvey Oswald, inculpé de meurtre, fut également abattu quelques jours plus tard.

383. L'Atlantide. Il s'agit, selon la légende, d'une ville sur une île. Un cataclysme aurait fait soudainement disparaître l'Atlantide.

384. Dix : la transformation de l'eau du Nil en sang, une invasion de grenouilles, une invasion de moustiques, puis de taons, la peste, les furoncles, la pluie de grêle, une invasion de sauterelles, les ténèbres et la mort des premiers-nés.

385. La ville japonaise d'Hiroshima fut la première ville à subir une attaque à la bombe atomique. Celle-ci eut lieu le 6 août 1945.

386. Un angle droit mesure 90°. Un triangle équilatéral n'a pas d'angle droit.

387. Les vaches et les cochons ont quatre pattes, il s'agit de 14 animaux, ce qui fait 14 x 4 = 56 pattes.

388. Un rectangle a quatre angles droits, et étant donné qu'un angle droit mesure 90°, quatre angles droits totalisent 90 x 4 = 360°.

389. Un quart d'heure compte 15 minutes, il y a 60 secondes dans une minute, et donc, 60 x 15 = 900 secondes.

390. Que tu sois gaucher ou droitier, tu as toujours 10 doigts. Il s'agit de 24 personnes, qui ont chacune 10 doigts, et donc au total, il y a 240 doigts.

391. Si tu parcours 10 km en une heure, tu en parcours donc 5 en une demi-heure, ce qui fait 5 000 mètres, car 1 km = 1 000 mètres.

392. Un litre de vin correspond à 1000 ml. Si tu as 5 litres de vin, cela signifie 5 000 ml.

393. C'est la même chose. Si tu as 1 kg de chaque produit, ils ont le même poids.

394. L'année qui précède 65 avant Jésus-Christ est 66 avant Jésus-Christ.

395. La Terre a besoin d'une année pour faire le tour du Soleil.

396. Une poule pond presque 1 œuf par jour; elle en pond environ 300 par an.

397. Sur la Lune, on pèse moins que sur Terre.

398. Le mois de mai compte 31 jours. Chaque jour, la petite aiguille de ta montre en fait deux fois le tour, ce qui explique que la petite aiguille de ta montre fait 62 tours en mai.

399. Dix heures moins vingt: la petite aiguille est sur le 10, la grande sur le 8.

400. Le triple de 40 est égal à 120, et la moitié de 120 fait 60.

401. Si tu jettes un 3, c'est le chiffre 4 qui se trouve sur la face opposée du dé. La somme des points que tu jettes et celui de la face opposée du dé est toujours 7.

402. Neuf jours avant mardi, c'est dimanche.

403. Un carré de sucre a six faces.

404. ⅔ de 2400 font 1600.

405. 115 minutes représentent 5 minutes de moins que 2 heures (120 minutes). 2 heures après 20 h 20, il est 22 h 20, et 5 minutes de moins que 22 h 20, cela donne 22 h 15.

406. Mille neuf cent cinquante-deux : 1 + 9 + 5 + 2 = 17.

407. Le quadruple de 50 est 200, et la moitié de 200 fait 100.

408. Un cinquième est égal à 20 sur 100, donc 20 %.

409. La moitié du double se neutralise, et donc, le nombre reste le même.

410. 125° − 35° = 90° et c'est un angle droit.

411. 2 siècles, cela fait 200 ans. Un millénaire compte 1 000 années, et si on additionne les deux, on obtient 1 200 ans.

412. José est plus grand que Jean et que Robin.

413. Un triangle qui a deux côtés égaux s'appelle un triangle isocèle.

414. Une personne adulte possède 32 dents, et donc, tes parents ont ensemble 64 dents.

415. Étant donné qu'un angle droit fait 90° et que tu dois en retirer 45°, cela fait 45°.

416. Un angle de 180° est également appelé angle obtus.

417. Une piscine olympique mesure 50 mètres de long.

418. On respire environ 16 fois par minute.

419. Nous ne sommes que depuis quelques années au 21e siècle, et donc, dans vingt ans, nous serons toujours au 21e siècle, puisqu'un siècle dure 100 ans.

420. Un boxeur est déclaré knock-out après 10 secondes.

421. La température est alors de -1 °C.

422. 1 suffit, et le pain n'est plus entier.

423. Il y a 1 000 litres d'eau dans un mètre cube.

424. La Terre tourne sur son axe une fois par jour, et donc, en deux jours ou 48 heures, elle fera deux fois sa révolution.

425. 75 % est égal à ¾, et ¾ de 1 000 font 750.

426. Les nombres pairs inférieurs à 10 sont 2, 4, 6 et 8, et en les additionnant, on obtient 20.

427. Tant le chat que le chien et le cochon ont quatre pattes, et puisqu'il y a 12 animaux, tu multiplies 12 par 4 et tu obtiens 48.

428. Dans 9 milliards, il y a 9 zéros : 9 000 000 000.

429. Il roule à 24 km/h, et donc, il parcourt 12 km en une demi-heure. Si tu additionnes 24 et 12, tu obtiens 36 km.

430. Si tu écris ce nombre en chiffres, l'exercice est très facile : 1 700 001, donc 4 zéros.

431. Si hier nous étions lundi, après-demain sera jeudi.

432. Chaque nombre, dont le dernier chiffre est 0 ou 5, est divisible par 5. La réponse est donc oui.

433. Dix fois 100 donne 1 000, et le double de 1 000 est 2 000.

434. Pour multiplier un nombre par 9, on le multiplie d'abord par 10 et on retire ensuite du résultat le nombre initial, donc 37 x 10 – 37 = 333.

435. Un nombre est divisible par 3 si la somme des chiffres qui le composent est divisible par 3. Dans ce cas, 35 n'est pas divisible par 3, donc la réponse est non.

436. 594. Pour multiplier un chiffre par 11, on le multiplie d'abord par 10 et on ajoute ensuite au résultat le nombre initial.

437. Anne a le plus gros morceau : $^1/_3$ est plus grand que $^1/_4$. L'idéal est de réduire les fractions au même dénominateur, ce qui signifie trouver un dénominateur commun et voir laquelle est la plus grande.

438. 9 000. Dans une heure, il y a 3 600 secondes, et donc 1 800 dans

quatre heures et demie.

443. 621. Pour multiplier un nombre par 9, il suffit de le multiplier d'abord par 10, puis de retirer le nombre initial du résultat obtenu.

444. Un nombre est divisible par 2 si le dernier chiffre de ce nombre l'est. Dans ce cas, 8 est divisible par 2, donc la réponse est oui.

445. Tu as 2 parents, 4 grands-parents, et 8 arrière-grands-parents. Pour les arrière-grands-pères, la réponse est 4.

446. Tu as payé ton vêtement la moitié du prix, ce qui veut dire que tu as bénéficié d'une réduction de 50 %.

447. Ce nombre n'est pas divisible par 3, car si tu en additionnes tous les nombres, tu n'obtiens pas un nombre divisible par 3 : $4 + 6 + 0 + 9 = 22$, et 22 n'est pas divisible par 3.

448. Avec un seul dé, tu peux marquer un maximum de 6 points, et donc, avec 7 dés, 6 fois 7 font 42.

449. Sophie est la plus âgée, car Jo est plus jeune que Sophie et Mimi, et Sophie est plus âgée que Mimi.

450. Tu roules à 100 km/h. Donc, il te faut 9 heures pour parcourir 900 km. Tu parcourras les 25 km restants en un quart d'heure, puisqu'il te reste $\frac{1}{4}$ de 100 km, et que $\frac{1}{4}$ d'une heure, c'est un quart d'heure.

une demi-heure.

439. 470. Pour multiplier un nombre par 5, il suffit de le multiplier d'abord par 10, puis de le diviser par 2.

440. 705. Pour multiplier un nombre par 15, il suffit de le multiplier d'abord par 10, puis d'y ajouter la moitié de ce résultat.

441. 7. Additionne toutes les quilles et divise le résultat par le nombre de lancers, soit 35 par 5.

442. Tu parcours 4 km en une heure, donc 2 km en une demi-heure. Si tu veux parcourir 18 km, tu as besoin de

coiffeur, donc tu y vas au moins 8 fois par an.

459. Tu dois faire 12,5 tours pour parcourir 5 km. 5 km sont équivalents à 5 000 mètres, et 5 000 divisés par 400 donne 12,5.

460. Pour calculer la superficie de cette pièce, tu multiplies la longueur par la largeur. Dans ce cas, donc, 9 mètres fois 7 mètres, donnent 63 m².

461. Si tu multiplies un nombre par 0, tu obtiens toujours 0.

462. Une vache a quatre estomacs, un cheval en a un seul. Donc, 3 vaches et 4 chevaux ont ensemble 16 estomacs.

451. Tu as besoin de 8 heures et demie.

452. 1987 est une année du 20ᵉ siècle.

453. Nous étions dans les mille premières années, dont au 1ᵉʳ millénaire.

454. Un lustre est une période de cinq ans.

455. Chaque animal a une paire d'oreilles, et donc 6 lapins et 8 lièvres ont ensemble 14 paires d'oreilles.

456. Il y a 52 cartes dans un jeu de cartes, si on ne compte pas les jokers.

457. Tu as 4 as et 4 rois dans un jeu de cartes. Et il y a 4 couleurs : cœur, carreau, pique et trèfle. Sans les trèfles, il te reste 3 as et 3 rois, donc 6.

458. Il y a 52 semaines dans une année. Tu vas toutes les 6 semaines chez le

LES RÉPONSES

463. L'herbe et les végétaux constituent la nourriture principale de nombreux animaux herbivores.

464. Les arbres produisent de l'oxygène dans l'air, ce qui permet à d'autres êtres vivants de respirer.

465. La moelle osseuse fabrique à chaque seconde des millions de cellules, qui remplacent les cellules plus ancien-nes, qui sont alors éliminées par l'organisme.

466. Un parasite est une plante qui vole, pour ainsi dire, sa nourriture à d'autres plantes. Elle ne peut pas produire sa propre nourriture au moyen de l'énergie solaire.

467. Si tu vois des champignons qui for-ment plus ou moins un cercle, tu es en présence d'un rond de sorcières.

468. Le côté orienté vers le nord d'un tronc d'arbre n'est pas exposé au soleil et est donc humide. On y trouvera donc la mousse la plus abondante.

469. Les pins ont de longues aiguilles qui poussent par faisceaux de 2, 3 ou 5.

470. Le tronc et les feuilles de nombreux conifères sont parcourus par un sys-tème de veines, pour ainsi dire, qui transporte une matière visqueuse et poisseuse : la résine.

471. Une métamorphose est un change-ment de forme. À titre d'exemple, citons la chenille qui se métamor-phose en papillon.

472. Le cornichon est un petit concom-bre qu'on peut ajouter dans divers plats afin de leur donner un goût différent.

473. Le mélèze est un conifère, mais comme il perd ses bouquets d'aiguilles en automne, on dit que ses aiguilles sont caduques.

474. La première transplantation du cœur a été effectuée en 1967 par le Dr Christiaan Barnard, d'Afrique du Sud.

475. Chaque cellule humaine possède 46 chromosomes ou 23 paires de chromosomes. Les chromosomes contiennent des gènes qui déter-minent toutes les caractéristiques héréditaires du corps.

476. Un trisomique ou mongolien est un enfant qui souffre du syndrome de Down ; il est moins doué que les autres et possède un visage large, aux yeux en oblique.

477. Les narcisses, les hyacinthes et les crocus sont des plantes bulbeuses.

478. Le yéti, souvent appelé l'abominable homme des neiges, est un monstre légendaire qui vi-vrait dans le massif montagneux de l'Himalaya.

479. Un prématuré est un enfant qui est né trop tôt. Parmi 100 enfants, 5 naissent prématurément.

480. Le passage de l'enfance à l'état adulte s'appelle la puberté. Au cours de cette période, le corps connaît de nombreuses transformations, et les relations avec les autres changent.

481. L'hormone mâle qui agit sur le développement des caractères sexuels est appelée testostérone.

482. Les jeunes olives sont vertes, et elles deviennent d'abord mauves, puis violettes, ensuite brunes et enfin noires.

483. Le sirocco est un vent du sud du bassin méditerranéen. Il provient des montagnes et des déserts qui entourent la mer.

484. L'Etna est un volcan actif situé en Sicile.

485. On trouve de la lavande dans les régions fraîches de la Provence (sud de la France), de préférence dans des endroits secs et rocailleux.

486. Si tu te brûles au doigt, il est préférable de le faire refroidir sous un jet d'eau froide pendant une dizaine de minutes et de te rendre ensuite chez le médecin.

487. Une personne qui est habile de ses deux mains est ambidextre. De manière générale, les gens sont droitiers, et seuls 10 % sont gauchers.

488. Si tu étais né il y a quelques siècles, on t'aurait donné un bout d'écorce de saule blanc contre le mal de tête. Cet arbre, qui pousse au bord de l'eau, aurait les mêmes vertus que l'aspirine contre la fièvre et la douleur.

489. On parle d'ouragan lorsque le vent atteint des vitesses de 120 km/h et plus. La mer est alors déchaînée.

490. On parle de marée montante lorsque l'eau arrive en période de flux.

491. La tomate. Les Italiens l'appellent « pomodoro », ce qui se traduit littéralement par « pomme d'or ».

492. Le melon fait en effet partie de la famille des cucurbitacées ; il contient peu de calories et il aiderait l'organisme à combattre les signes de vieillissement.

493. Le thorax est la cage thoracique qui protège le cœur et les poumons.

494. Tous les 28 jours, les ovaires de la

femme libèrent un ovule. Si cet ovule n'est pas fécondé, il meurt et la muqueuse de l'utérus, riche en vaisseaux sanguins, se détache. Le sang s'écoule alors par le vagin : ce sont les règles ou menstruations.

495. Les framboises contiennent, en outre des fibres qui favorisent la digestion, aussi beaucoup d'antioxydants.

496. Le beurre n'est pas un hydrate de carbone. Les hydrates de carbone ou sucres (glucides) fournissent de l'énergie.

497. La viande n'est pas une matière grasse, mais bien une source de protéines. Les graisses servent de réserves d'énergie et de chaleur.

498. Le riz est une céréale et, par le fait même, elle est riche en fibres et en hydrates de carbone (glucides). Les protéines sont nécessaires à la fabrication des cellules et à la croissance.

499. Le maïs contient beaucoup de matières grasses, mais il est également riche en protéines, en fibres, en sels minéraux et en vitamines.

500. Un adulte respire en moyenne 15 fois par minute, alors que les nouveau-nés respirent de 40 à 80 fois par minute.

501. La noisette est délicieuse enrobée de chocolat. L'idéal pour la conserver est un endroit frais et sec, lorsqu'elle a encore sa peau.

502. Un médicament générique est une copie d'un médicament de marque original, et il est tout aussi efficace, mais beaucoup moins cher.

503. L'ikebana est l'art floral japonais.

504. La toundra est une bande de terre située à la frontière de la zone polaire, où pousse de la mousse et qui est dépourvue d'arbres.

505. Une forêt humide, ou tropicale, est le type de forêt le plus complexe et le plus luxuriant du monde.

506. Les cheveux poussent pratiquement toujours à la même vitesse : environ 1,5 cm par mois.

507. Les pluies acides sont dues au fait que la pluie se mélange à des produits chimiques qui ont un degré élevé d'acidité.

508. Au pôle Sud, il fait beaucoup plus froid qu'au pôle Nord. Il y a de terribles tempêtes de neige, et personne n'y vit.

509. Hippocrate est le fondateur de la médecine occidentale. Il décrivit en détail les maladies qu'il observait.

510. Quand on a le mal de mer, on a mal à la tête, on a des vertiges et des nausées. Ces symptômes peuvent être liés à des troubles de l'équilibre. Lorsqu'on revient sur la terre ferme, on récupère rapidement.

511. Les bébés boivent goulûment et avalent beaucoup d'air. Lorsqu'on redresse le bébé, cet air excédentaire peut sortir de son estomac, ce qui provoque un rot.

512. Notre corps contient environ 5 litres de sang. Il afflue dans tous les organes et les muscles et nous assure un bon fonctionnement musculaire.

513. Les enfants doivent beaucoup grandir, et la croissance fatigue l'organisme, ce qui explique pourquoi les nourrissons dorment tellement.

514. Il existe quatre groupes sanguins : A, B, AB et O. Le groupe auquel tu appartiens est déterminé par la présence ou non de certaines protéines dans ton sang.

515. Il y a dans de nombreux déserts des endroits où des plantes poussent en abondance et où l'on trouve de l'eau. Ce sont les oasis.

516. Le corps humain se compose d'environ 200 articulations différentes.

517. Le squelette donne forme au corps humain et protège les organes vitaux. Ainsi, la cage thoracique protège le cœur et les poumons, et le crâne abrite le cerveau.

518. Les muscles qui recouvrent le squelette ont pour tâche importante de nous permettre d'effectuer des mouvements.

519. Le cœur a environ la taille d'un poing fermé. Un cœur humain pèse quelque 300 grammes.

520. Les premières dents poussent vers l'âge de sept mois. Au total, la dentition de l'enfant compte 20 dents, appelées « dents de lait ».

521. La digestion commence dans la bouche et se termine à l'anus. La majeure partie du processus digestif a lieu dans l'intestin grêle.

522. Nous pouvons percevoir le goût grâce à nos papilles gustatives, situées sur la langue. Nous percevons ainsi la différence entre ce qui est sucré, salé, acide et amer.

523. Lorsqu'on subit une opération, on nous endort, soit localement, soit en-

tièrement. Il s'agit d'une anesthésie.

524. Les fèves de cacao poussent dans de grandes cabosses sur les cacaoyers. Lorsque les fèves sont mûres, elles sont épluchées, puis séchées, grillées et écrasées. On obtient ainsi une espèce de beurre de cacao.

525. Le sucre que nous utilisons provient de la canne à sucre et de la betterave sucrière.

526. Non. La mer Morte contient d'énormes quantités de sel, ce qui fait qu'aucune espèce animale ni végétale n'y survit.

527. Au printemps et en été, les fleurs s'ouvrent pour attirer les insectes qui les féconderont.

528. Les arbres ne poussent pas au sommet des montagnes. L'altitude à laquelle poussent les derniers arbres s'appelle la limite de la végétation arborescente.

529. Les citrouilles sont comestibles, et particulièrement délicieuses en potage ou en gâteau.

530. Les pâtes. Elles constituent souvent le plat préféré des enfants, que ce soit en salade, en plat chaud ou dans des potages.

531. Le tube digestif mesure 10 mètres, l'œsophage 25 cm, l'intestin grêle 8 mètres et le côlon 1,60 mètre.

532. Le chocolat est un merveilleux délice qui est fabriqué à partir de fèves de cacao dures et inconsommables telles quelles.

533. L'océan Pacifique est le plus grand océan du monde.

534. L'Atacama est le désert le plus sec de la planète. Ce désert est situé sur la côte du Chili.

535. L'orange a en effet bonne réputation en raison de ses vitamines. L'orange sanguine ne contient pas de sang et ne doit son nom qu'à sa couleur.

536. Le poireau est un légume vert, connu depuis l'Antiquité. Dans le poireau, tout est bon. Il appartient à la même famille que l'ail et l'oignon.

537. Le thé. Il contient en effet de la caféine.

538. L'oignon est un bulbe aux feuilles juteuses. Si tu le pèles et le coupes sous un jet d'eau du robinet, le produit qui cause les larmes se dissoudra.

539. L'ananas est très bon pour la santé. Sa chair dorée est juteuse et fibreuse. Il est délicieux en salade de fruits mais accompagne également très bien les poissons, les viandes et les salades.

540. Un match de handball se compose de deux mi-temps de 30 minutes chacune.

541. Le « trou » ou « hole » est l'objectif à atteindre au golf. Le « tee » est le point de départ. Le « swing » est le mouvement de rotation que fait le golfeur pour frapper la balle.

542. En Australie, le pays du boomerang, on organise chaque année un championnat national.

543. La plus longue épreuve de ski de fond chez les hommes est de 50 km. Chez les femmes, elle est de 20 km.

544. Dans le saut à ski, on n'utilise pas de bâtons. La façon classique de sauter est avec les skis en parallèle.

545. Il s'agit du patinage artistique. Une pirouette est une rotation rapide ou un tour sur un seul pied.

546. Au hockey sur glace, deux équipes de 22 joueurs s'affrontent, mais par équipe, il n'y a jamais plus de 6 joueurs sur la glace. Les joueurs peuvent être remplacés à chaque arrêt de jeu.

547. Le bâton. Les exercices sont toujours réalisés en musique, avec un accessoire : ballon, cerceau, corde à sauter, ou ruban.

548. La nage papillon. En brasse, on bouge tour à tour les bras et les jambes. Le dos crawlé est la seule nage qui se fait sur le dos.

549. Le Brésil a remporté cinq fois la coupe du monde de football (soccer) : en 1958, 1962, 1970, 1994 et 2002.

550. Oscar Freire a remporté le championnat du monde en 1999, 2001 et 2004. Eddy Merckx l'a gagné en 1967, 1971 et 1974.

551. Douze strikes (abats) successifs donnent le score le plus élevé : 300 points.

552. Le steeple-chase est un parcours d'obstacles pour les chevaux à partir de 4 ans.

553. À Turin, en Italie. Innsbrück, en Autriche, a organisé les jeux Olympiques d'hiver en 1976. Lake Placid, aux États-Unis, les a organisés en 1980.

554. Martina Navratilova est née à Prague, en Tchécoslovaquie (actuelle République tchèque).

555. Les volants de badminton. Certains volants atteignent une vitesse de

quelque 350 km/h. Le poids d'un volant est d'environ 5 grammes.

556. Les Internationaux des États-Unis (aussi connus sous le nom de U.S. Open) ont lieu chaque année à New York à la fin du mois d'août. C'est le dernier tournoi du Grand Chelem de la saison tennistique.

557. Un skiff est un bateau à rames pour une personne. Afin de rencontrer le moins de résistance possible sur l'eau, il est très étroit.

558. Série A. Les Italiens appellent le football « calcio », parce que cela leur rappelle un jeu de ballon pratiqué dans leur pays au 16e siècle.

559. Un rallye.

560. Une piste mesure 400 mètres de long. Ainsi, 10 000 mètres divisés par 400 = 25. Les coureurs doivent faire 25 tours.

561. Le bobsleigh. Ce sport tient son nom de l'anglais « bob », qui signifie bouger de haut en bas. Les participants se déplacent d'avant en arrière pour accélérer.

562. En Chine (Pékin). Ils ont été tenus aux États-Unis en 1996 (Atlanta), 1984 et 1932 (Los Angeles) et 1904 (Saint Louis). En Russie, c'est à Moscou qu'ils ont été organisés en 1980.

563. Les États-Unis : ils ont remporté

907 médailles d'or.

564. Justine Hénin, joueuse de tennis belge. Elle a remporté la seule médaille d'or pour la Belgique à Athènes.

565. À la thermique. Le Soleil réchauffe la Terre. Moins le sol contient d'humidité, plus vite le sol et l'air se réchauffent. L'air chaud au-dessus du sol monte, et c'est alors qu'apparaît la thermique. Les planeurs peuvent gagner de l'altitude en tournant, et ainsi parcourir de grandes distances.

566. Le maillot jaune est porté par celui qui enregistre le meilleur temps. Les coureurs reçoivent des points par étape, en fonction de leur arrivée.

567. En sport automobile, il est obligatoire de faire un arrêt au stand (puits) et de changer les pneus.

568. Un trampoline. C'est une toile fortement tendue avec une surface de saut de 4,26 mètres sur 2,13 mètres.

569. Il est de 6,14 mètres et a été établi en 1994 par Sergeï Bubka (un Ukrainien).

570. L'érythropoïétine (mieux connue sous le nom d'EPO) est une hormone qui est normalement fabriquée par les reins et qui stimule la production des globules rouges dans l'organisme.

571. Le bridge est un jeu de cartes cérébral.

572. L' Angleterre. Étant donné que ce jeu, sous sa forme actuelle, a vu le jour en Angleterre, on y utilise encore de nombreux termes anglais : « back » pour défenseur ; « corner » pour coup de coin.

573. Le cloche-pied n'est pas une allure. Les trois allures les plus connues d'un cheval sont le pas, le trot et le galop.

574. En France. Le Mans est connu pour ses « 24 heures », une course qui est organisée depuis 1923.

575. La Dream Team. En 1992, les États-Unis on prit la décision d'autoriser les joueurs professionnels de la NBA à participer aux jeux Olympiques. Ils ont alors composé une équipe, appelée « Dream Team ».

576. L'ordre de succession des ceintures au judo est le suivant : blanche, jaune, orange, verte, bleue, marron et noire.

577. Le sumo est un sport traditionnel japonais, qui est généralement pratiqué par des hommes très lourds.

578. Les joueurs portent généralement la couleur de leur équipe sur leur bonnet de bain. Le gardien de but porte un bonnet rouge et des oreillettes aux couleurs de son équipe.

579. Le record mondial est en 2005 de 49,700 km.

580. Les Grecs. Selon la légende, les premiers jeux furent organisés en Grèce en l'honneur de Zeus.

581. Dans les compétitions internationales, une piste d'athlétisme se compose toujours de huit couloirs.

582. Une course équestre durant laquelle les participants franchissent vingt-huit fois un obstacle de 91 cm de haut, et sept fois un fossé large de 3,66 m et profond de 70 cm.

583. Le cyclisme. Cet Américain remporta sept fois le Tour de France et fut une fois champion du monde.

584. Le triple saut. C'est une variante du